KB213299

풍수강설 第3輯

발　행 | 2025년 01월 23일
저　자 | 원저 황영웅
편집 박무흠
편집 강동주, 김윤경, 류순희
펴낸이 | 한건희
펴낸곳 | 주식회사 부크크
출판사등록 | 2014.07.15.(제2014-16호)
주　소 | 서울특별시 금천구 가산디지털1로 119 SK트윈타워 A동 305호
전　화 | 1670-8316
이메일 | info@bookk.co.kr

ISBN | 979-11-419-7958-4

www.bookk.co.kr

풍수강설
風水講說

風水地理學 用語 定義
第3輯

원저 **황영웅**
편집 **박무흠**
강동주
김윤경
류순희

풍수학문을 **제대로 하면** 삶이 지혜로워진다.

박무흠(淸巖)

1949년 경상남도 밀양에서 출생하여 밀양실업고등학교를 졸업하고 사회로 진출했다. 1980년대 자영업을 운영하였고 1990년 새 삶에 종사하며 풍수학을 오래 지속하여 전수 중에 2000년부터 부산 국립부경대학교 평생교육원 그리고 2002년부터 동국대학교 경주캠퍼스 사회문화교육원(평생교육원)의 생활 풍수지리반 강사로 임용되었다.

이후 서라벌대학을 졸업하고 영산대학교에서 국제무역학을 전공했다. 이어서 영산대학교 대학원 부동산학(풍수학전공) 석·박사 학위를 받았다.

2015년 3월에 동국대학교 경주캠퍼스 불교문화대학원 불교풍수문화학과 불교풍수문화 전공으로 석사학위 과정을 국내 대학에서 처음 신설하고 본 학과의 초빙교수로 소임되어 책임교수로 취임하였다.

풍수 학문 전수는 현대풍수지리연구소 허석진 스승님(장룡득, 명당론집)의 기초적 풍수지리학문을 시작으로 수십 년 전부터 황영웅 스승님(풍수원리강론)과 함께 궁구하고 연구를 지속하였고 본 불교풍수문화학과의 신설에 닮은 스승님 오안 의지를 덧붙였다.

2024년 3월에 영산대학교 창조인재대학 동양상담복지학과(신설개강) 석좌교수로 2024년 3월에 임용되어 소임하였다.

"때로는 마음과 기운이 꺾이기도 하고,
때로는 희망을 잃고 체념하기도 하며,
때로는 학문을 이루고자 꿈에 부풀어져,
하루하루를 견뎌내며 하나하나 얻은 강의"

"풍수 학문을 제대로 하면 삶이 지혜롭다."

나는 왜 이 책을 쓸까?

많은 분이 풍수 책을 쓰지만 솔직하게 그 풍수 책을 또 다른 분에 따라 잘 읽히지 않는다. 그러면 그 읽히지 않는 풍수지리 한 권 또는 그 이상을 더 보태어 지구상에 엔트로피(entropy:우리가 알지 못하는 정보의 양)를 높이는데 기여하는 것이 과연 옳은 일일까?

이 책에 쓴 내용은 많은 세월에 많은 분에게 강의했던 것들이다. 누구나 말은 가볍게 할 수 있지만, 글을 쓰는 것은 학문으로는 더욱 쉽지 않다. 책으로 옮긴 것은 많은 분 앞에 자신 내면을 드러내는 일이라 앞으로 살아가는데 부담될 수 있다.

그래서 망설이고 고민도 많이 했기에 연구서 외는 내지 않았다. 그럼에도 불구하고 지금까지 강의한 나의 자료들을 책으로 편집해 더 많은 분이 공부할 수 있도록 해 달라는 요청이 많아 강의록 편집을 통해 공개하고 앞으로도 과거의 나를 배반하지 않으며 살아갈 것이라고 세상과 새로운 약속을 하기 위해 부족이 많으나 지난날 전수한 내용을 인용하여 이 책을 썼다.

저는 지난날 자영업을 하면서 발전과 시련에 도전하였는데, 우리나라가 그 시대적으로 그리고 정치적으로 매우 어수선한 때였다. 그때 항상 나를 드러내지 않은 채 무엇이 옳은 일인지 고민하며 소극적인 선택했었다. 이런 시기에 혼자 더 공부하는 것은 개인 영달을 위해 도피하는 모양으로 비춰 자영업을 하여 어려운 환경에서 공부하는 분들에게도 힘이 되는 한 사람으로 인재 양성에 이바지함으로써 한국의 선진화 그리고 통일에 밑거름이 될 것이라고 스스로 책무를 지웠다.

자영업은 국가적 혼란이 장기화함으로 지속될 수 없었고, 이때부터 풍수 학문에 전념하였다. 늦었지만 이제 저는 마음속으로 했던 그 약속을 지키고 싶었다.

이 책에는 그래서 풍수 교육에 관한 내용만 아니라 풍수 학문을 체계적 전수를 위해서 "부산 진구 부전동 현대풍수지리연구소(허석진)", "서울 영등포구 여의도동 KBS사회문화센터(황영웅), 경기 안양시 동안구 보덕사(황영웅) 및 산하 시설 교육장"에 거치기까지 매주 그곳을 찾아 풍수원리강론을 수학하고, 스승님과 함께 전국적 현장 각지를 찾아서 자연현상을 궁구하고 연구하는 과정을 전수하며 공부한 경험을 바탕으로 자료를 정리하였다.

그러나 그것에만 초점을 맞추어 쓰게 되면 지나치게 전문 서적이 되어 어렵게 느껴지므로 저의 경험과 지금까지 정리한 이 학설에 관해서 견해를 더 보태려 한다. 때로는 개인적 경험담이 좌절되고 절망에 빠진 이들에게 희망의 힘을 북돋아 줄 수 있지 않겠나? 하는 생각에서다.

또 저의 부족했던 부분까지 풍수의 기초적 접근에서부터 풍수원리 중심으로 가급적 정의하여 풍수지리학 중심 분야만 테마 별로 발췌하고 소상히 읽을 수 있도록 각각 구성하여 편집 강의하려 하였다.

저 자신이 결코 특별한 사람도 아니고 성공한 사람이라고도 생각하지 않는다. 다만 불가능할 것만 같았던 미래의 꿈을 풍수 학문에서 개척하고 대의를 이루고자 하였다. 그래서 이 책을 통해 후진들에게 다음과 같은 메시지를 전하고 싶다.

1) 도전하지 않고 성취할 수 있는 것은 아무것도 없다. 희망이 없다고 포기하는 것만큼 어리석은 일은 없다. 어려운 상황에서도 맞서 도전할 수 있는 기회가 주어진 것에 감사하게 받아들여 줌이 옳다.

2) 교육에는 편견에 판단하고 그의 꿈에 낮춰 잡는 것은 잘못으로 깨달아야 한다. 저는 저가 가르치던 후진들이 뛰어난 학자로 성장하며 우수한 교수가 되거나 세계적인 학자나 연구자가 될 수 있을 것이라고 생각한다.

3) 전수 교육 지도서가 초기에서 상론까지 정의되는 데에는 자연현장 질서를 이미 수십 년 전부터 실증적으로 고행을 겪으면서 연구하여 풍수지리학을 세워주신 선각자의 초석에 힘입어 공부를 체계적으로 정진함에 이해와 연구 성과의 토대가 될 수 있었기에 감사하게 받아들였다.

우리는 이 책에서 풍수 학문을 제대로 하면 삶이 지혜로워진다는 진리를 깨달을 기회가 되길 어떤 자세를 취해야 하는지 함께 생각해 보았으면 한다.

청암 **박무흠** 근서

"후학들에게 드리는 글"

풍수지리학은 우리 인간 생활에서 뗄 수 없는 자연의 원리이므로 우리의 삶에 절대적인 힘을 갖고 있다는 데서 우리 조상으로부터 믿고 행하여 온 수천 년의 지리사이며 수만 인의 관심사라 아니할 수 없다.

풍수지리를 알게 되면 각자가 자기의 주위부터 자연의 법칙에 맞도록 개선할 수 있고 자기의 분수를 알아 마음의 행복을 누릴 수 있으며 충효와 동기간의 화목으로 참다운 삶으로 지혜로울 것이다.

저는 지나온 고통과 시름이 너무 커서 삶의 질이 극도로 나쁜 시절에 풍수학에 입문하게 되었고 그 후에 깨달음이 컸다. 그때 "허석진 선생님의 강의 지도서인 장룡득 선생님(명당론집)의 풍수 학문을 시작으로 황영웅 선생님(KBS, 풍수원리강론)께 입문하여 수십 년간 지속하여 수학하면서" 강의에 나서게 되었으며 후학들에게 연구한 학문 모두를 나누려는 뜻이다.

풍수학 입문에 나서는 분에게 저는 전수 학문을 안내함에는 제가 평생의 혼을 담아 세운 청암풍수지리연구원의 학문 궁구의 학훈으로 “정법, 정연, 정행"으로 실현하고자 하며 "마을 터 이론의 양기, 집터 이론의 양택, 묘터 이론의 음택” 등을 편집, 강의하였다. 또 황영웅 스승님의 현대사에서 자연현상을 현대과학적 기초이론으로 재정립한 원리에다 실습인 자연의 관산을 광범위하게 병행하여 쌓은 경험적 학문을 안내하려 하였다.

풍수 학문은 전 근대사에 찾아볼 수 없는 자연 진리의 토대서 정립한 보고를 덧붙여 전개할 것이다. 이 글을 읽으시는 많은 분이 쉽게

읽고 이해할 수 있도록 편성해 달라는 요청으로 기초적이면서 상론에까지 한글로 기록한 것이 많으므로 많은 분이 생활에 도움 되기를 심원한다. **“수행자(修行者)는 초월명(超越命)이요, 태만자(怠慢者)는 종운명(從運命)”**이라 하였다.

끝으로 학업에 도움 되기 위해 초록으로 강의한 부분을 정리하여 내용을 쉽게 하려 노력하였으나 전문용어 등 어려움이 많아 미비한 점이 있을 것이므로 바로 잡아 주기 바란다.

청암 **박무흠** 근서

"불교 풍수 문화학 당위성에 대하여"

오늘날 불교 문화를 생활화하고 있는 현대인들의 가장 큰 고민과 숙제는 몸 마음이 끌고 가는 108번뇌의 시달림과 본마음이 지향하는 깨달음의 가치 구현이 두 축 위에서 끊임없이 갈등하고 있다는 사실이다.

108 번뇌의 발생 배경이 시방세계의 시절 인연과 중생의 육체 식을 끌고 다니는 소연육경(所緣六境)들의 변화 작용에 있다고 살펴볼 때 선수행(禪修行)과 교학의 정진을 기본 불교 생활로 삼고 있는 현대생활 불자들에게는 이 현상 육경계(六境界)에 대한 바른 인식과 선, 인연, 화합을 위한 재창조 노력이 절실히 필요한 시점에 도달하였다고 사료 된다.

우리네 중생들의 교학과 수행 생활을 낱낱이 살펴보면 아무리 불자들의 수행과 학문이 날마다 증장하여 간다고 할지라도 능인육근(能因六根)의 청정화 속도보다 소연육경의 혼돈된 변화상이 더욱 급속하게 선교 생활을 방해하고 있음을 나의 경험에서 잘 알게 되었다.

저는 이러한 육경이 지닌 색성향미촉법(色聲香味觸法)의 변화작용 근저에 그 변화를 주도하는 각각의 에너지 및 에너지장의 동조, 간섭 작용 특성이 존재한다는 것을 발견하게 되었다. 즉, 우리를 둘러싼 육경의 공간 속에는 크게 상호 동조, 생기하는 생기생명 에너지장과 상호 간섭, 소멸하는 사기소멸 에너지장의 두 공간 질서가 우리 인간 생명현상을 증진 발전시키기도 하고 소멸 쇠락한다는 사실을 크게 알게 되었다.

그렇다면 이러한 인간 육경의 공간 질서 흐름을 선 에너지장 인연으로 개선 재창조할 수만 있다면 얼마나 우리 인간의 불교적 생활이 선 생활로 개선 발전할 수 있을까? 에 대해서 저는 수십 년 전부터 저의 스승님과 함께 이 문제를 궁구하고 연구하게 되었다.

그 결과 다음과 같은 몇 가지의 결론을 얻었다.

1. 왕성한 천지기 생명 에너지가 응축된 공간을 과학적으로 선택하고 활용함으로써 중생 영육의 건강을 굳건히 지켜야 한다는 것

2. 인간 주변 환경 에너지장이 가장 선길한 동조 형태로 지속될 수 있도록 최선을 다해 유지관리 재창조해 가야 한다는 것

3. 인간의 육근 특성과 경계의 각종 선 에너지장이 가장 효율적으로 동조될 수 있도록 선택과 창조 노력을 끊임없이 지속해야 한다는 것

이상의 결론에 따라 우리 주변 공간 속에 있는 각종 경계 에너지장 연분들을 생기 선 에너지장으로 순화개량 시키고 각종 소멸 경계 에너지장을 취사선택 또는 개선하여 우리 생활 불자들의 건강하고 청정한 영육의 삶이 오래오래 이어가는 불국토가 되기를 간절하게 바라는 마음뿐이다.

불교풍수문화학은 이와 같은 영육의 극락 환경을 건설하는데 크게 한몫을 할 수 있다고 감히 사료되어 본 대학원에 불교풍수문화학을 개설하고자 하는 바이오니 넓으신 이해와 높으신 혜안으로 살펴주시고 허락하여 주시길 앙망하셨다.

이 글은 동국대학교 본 대학원 타과에 편재되어 있던 풍수지리전공 책임교수로 재직한 제가 수년째로 본 대학교 불교문화대학원 불교풍수문화학과 불교풍수문화전공 신설을 추진 중에 본 대학원 운영위원들에게 호소한 내용[불기2558년, 서기 2014년 5월, 황영웅 스승님의 오안(五眼) 의지 담아 제출]이며, 그해 10월에 운영위원들의 심의에서 학과 신설은 우여곡절 끝에 통과되었고 불기 2559년, 서기 2015년 1학기부터 국내 대학에서 처음으로 석사학위 과정에 본과 본 전공이 신설되어 풍수학 교육과정이 시작되었다.

불기 2558년(서기2014년) 5월

황영웅 스승님의 오안 의지를 청암 박무흠

머리말

본문의 풍수지리(風水地理) 용어는 천리자연 및 지리자연의 그 현상을 바탕으로 현대과학이론을 기초하여 재정립해서 접목한 더 과학적이고 합리적인 해명과 증명(證明)이 확인(確認)되어야 하는 이 시점에 도달한 학문이다.

본 편집·강의자는 대오하신 스승 황영웅 선생님(KBS 풍수지리 강의 1990년 학문에 입문하여 수십 년간 공부하였다.

본 학문은 정법(正法)을 터득(攄得)하게 되고 자연 원칙이 너무나 정확함을 확인할 수 있어서 학문에 대한 확신과 신념이 더욱 굳어지고, 전(前) 근대사(近代史)에 도저히 찾아볼 수 없는 자연과학이며 참 진리의 보고(寶庫)이다.

학문의 진리와 올바른 법칙(法則)이 하루빨리 보급되어 보다 많은 가정과 가문들이 미신(迷信)에서 벗어나 그 불행을 떨치고 행복한 가문으로 이 사회와 나라에 훌륭히 기여하는 동량(棟樑)이 되기를 뜻하는 것인바 스승의 풍수원리를 쉽게 접근하고, 안내하기 위하여 연구학문 중 일부를 용어 정의로 편집하였다.

따라서 풍수원리를 기초적(基礎的)으로 해석하여 빠르게 이해를 도우려 하므로 부족이 있더라도 선도(善導)해 주시고 넓고, 깊이, 그리고 꾸준히 접근하시기를 바란다.

자연의 진리(眞理)는 실제 자연과학이니 절대로 기교(機巧)에 빠지거나 미신의 유사(類似)함에 현혹(眩惑)되어서는 아니 된다.

본 학문의 추구(追求)함에 온고이지신(溫故而知新)과 실사구시(實事求是)하여 인간의 재창조(再創造)를 통한 홍익인간(弘益人間)으로의 훌륭한 선업(善業) 수행자(修行者)가 되시기를 심원(心願)한다.

청암 **박무흠** 근서

'용어의 정의에 대하여'

현장 사물에 대한 천기와 지기의 에너지 및 에너지장 합성으로 인하여 형성되어진 지구에너지 및 에너지장을 그 사물의 뜻을 명백히 밝혀 규정하려 하는 것이 그 뜻이다.

따라서 지구에너지 및 에너지장의 개념에 속하는 가장 가까운 유(類)를 들어 그것이 체계적 중(中)에 차지하는 위치를 밝히고 또다시 종차(種差)를 들어 그 개념과 동위(同位)의 개념에서 구별하여 정의하려 하였다.

종차는 동일한 유개념(類概念)에 딸리는 두 개의 이상의 종(種)개념 가운데 그 어떤 것에 특유한 에너지 및 에너지장 성질로, 그것을 다른 것과 구별하는 표준이 되는 이성적(理性的) 사람과 동물 등을 비교할 때, 사람에 있어서 이성적인 것 등에 유사한 에너지 및 에너지체 성질을 표본하였다.

동위의 개념은 같은 위치 또는 동일한 지위(地位)를 에너지화하여 비교 분석하고 에너지 및 에너지체의 유형을 기초과학적으로 접근 시도 하였다.

청암 **박무흠** 근서

인사말

본 편집은 청암풍수지리연구원에 풍수지리학문을 전수 받기 위해 청암 선생님께서 많은 세월을 지속적으로 궁구하고 있다.

더욱 자연의 진리를 토대로 온고이지신하며, 이론과 자연 현장을 현대과학적 기초이론으로 재정립하여 일체화시켜 주셨고 하늘이 감추고 땅이 숨기는 비기를 강설하실 때마다 너무나 감동적이고 보배 같은 학문을 궁구하게 되었다.

이러한 학문을 체계적으로 전수받아 선업수행자로써 실사구시하여 청암 선생님 지도로 홍익인간의 정신을 구현하고 인재육성에 함께 헌신하려고 한다.

저희가 천식하여 부족하지만 기교하거나 유사한 일에 현혹되지 않겠으며 항상 선도해 주시길 지원한다.

편집 강동주
편집 류순희

목 차

【부록】

그림 목차

풍수지리 용어 정의(風水地理 用語 定義)

1. 용(龍)-산과 산이 맥(脈)으로 이어져 변역(變易)하는 모습이 전설 속의 용이 움직이는 모습과 같다고 해서 산의 모습들을 용(龍)이라 한다.

【그림 1】 변역의 질서 체계도

【그림 2】 변역의 질서 체계도

2. 용세(龍勢)－용의 세력(勢力), 용의 대소(大小), 강약(强弱), 선악(善惡), 미추(美醜) 등의 역량을 말한다.

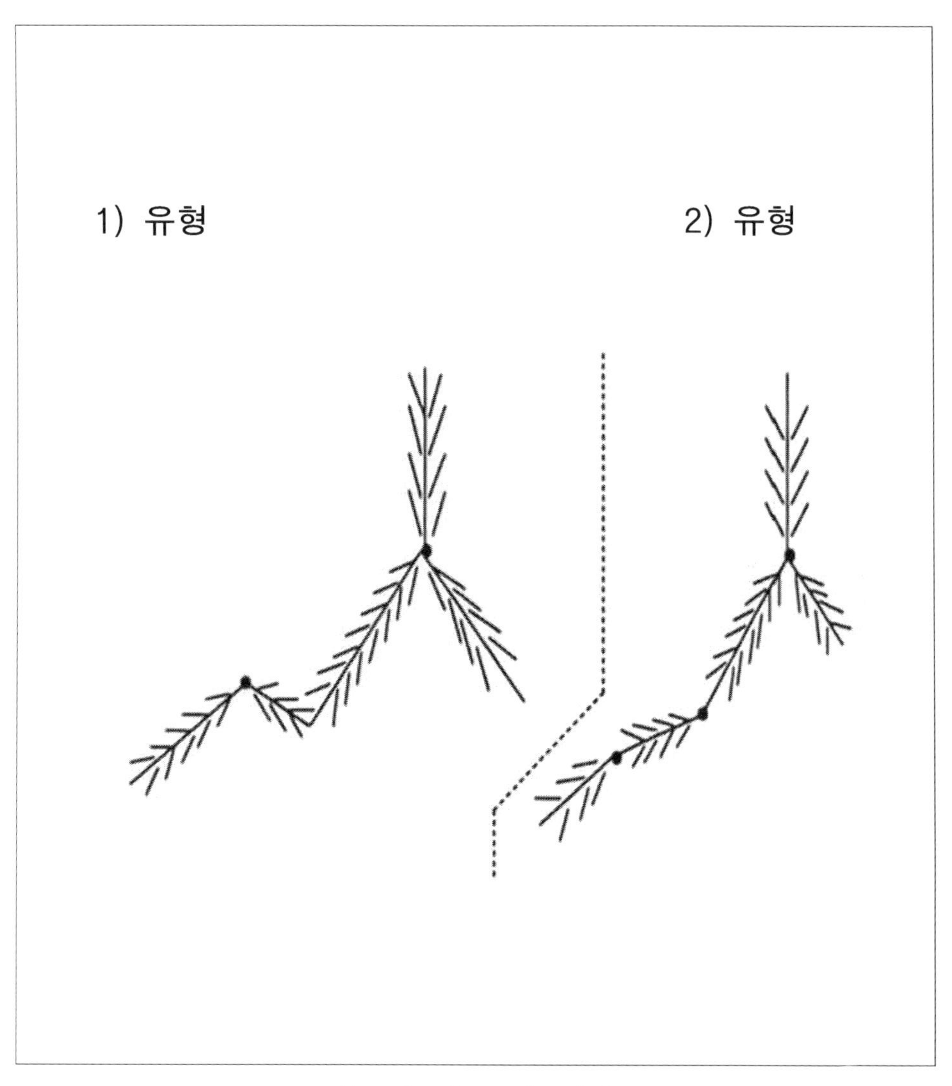

【그림 3】 용의 세력

3) 유형

【그림 4】 용의 세력

3. 맥(脈)-산의 에너지(Energy)가 흐르는 이동 통로(通路)를 말한다.

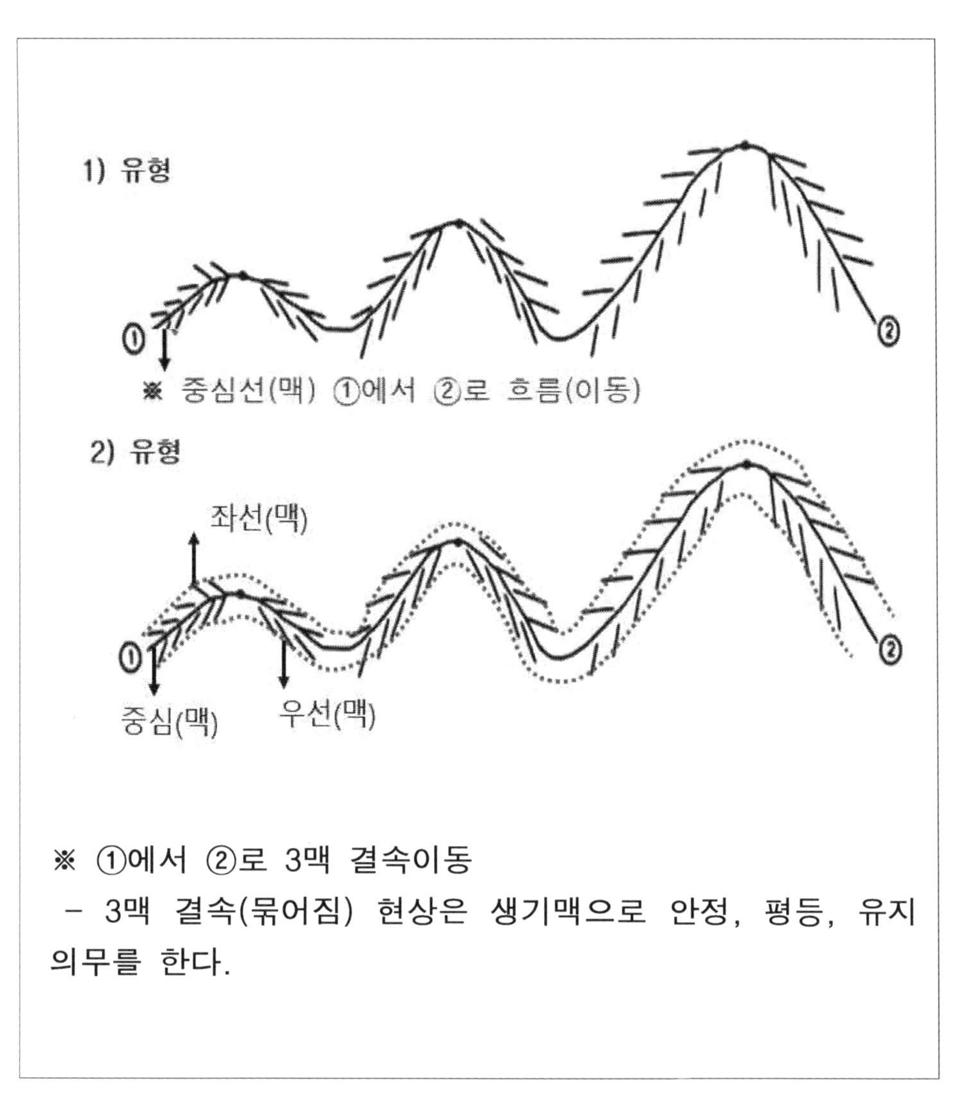

【그림 5】 산의 에너지 이동 통로

3) 유형

※ 이동하며 분벽하는 질서의 다양화 형태이다.

【그림 6】 산의 에너지 이동, 분벽 질서

4. 사(砂):사격(砂格)-독립체(獨立體)를 이루고 있는 혈장(穴場) 주변의 산을 말한다.

1) 유형

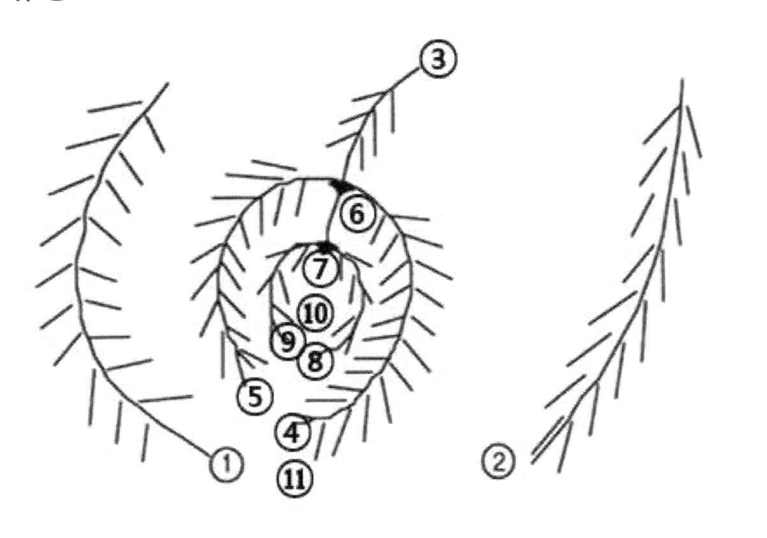

※ ①외백호맥 ②외청룡맥 ③내룡맥 ④외청룡맥
⑤외백호맥 ⑥소조산 ⑦주산(현무) ⑧내청룡맥
⑨내백호맥 ⑩혈장 중심처 ⑪안산(주작)

- ①과 ②맥 현상이면 서로 동조 의지 형성시킴

【그림 7】 사격의 독립체 질서 체계

2) 유형

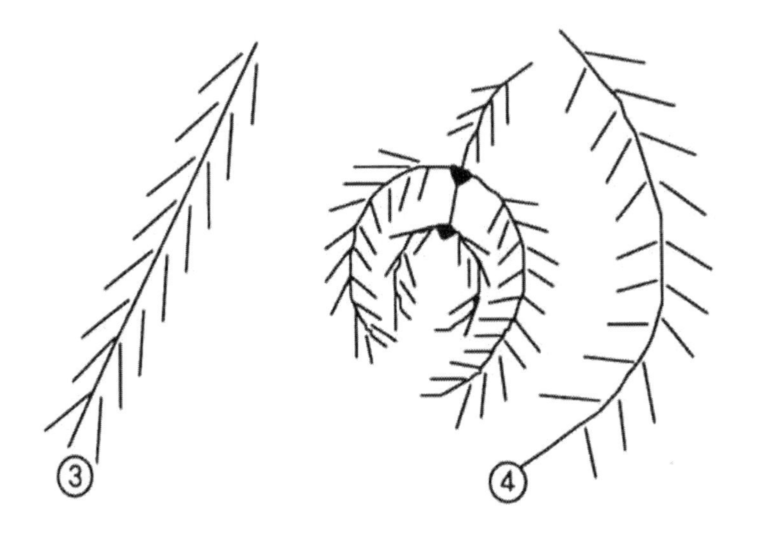

※ ③은 반배 형성으로 설기하는 간섭현상 발생

- ④는 전호 형성으로 응기 응축하는 동조현상 발생

【그림 8】 사격의 독립체 질서 체계와 전호(응기 응축) 및 반배(설기)

5. 용맥(龍脈)- 용(龍)과 맥(脈)을 합쳐서 용맥(龍脈)이라 한다.

1) 유형

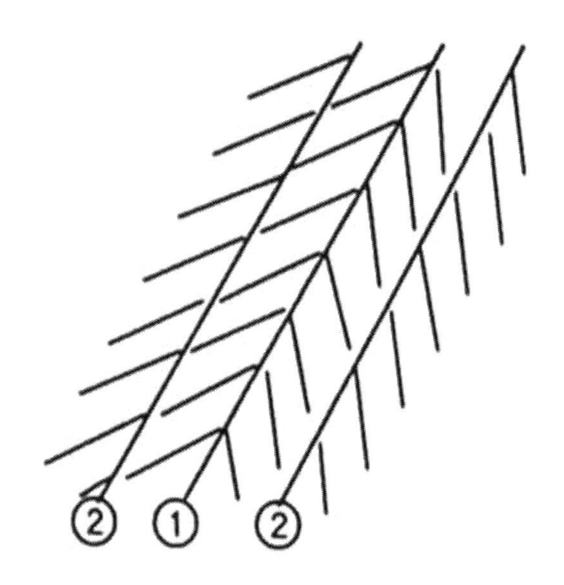

※ ①의 맥은 중심선이고,
- ②의 맥은 좌우선 맥으로(청룡성, 백호성) 결속되어 있음.
이 생기맥은 생룡맥임. 3맥1속으로 형성되어 짐(1 용맥)

【그림 9】 용맥 3맥 형성

1) 유형

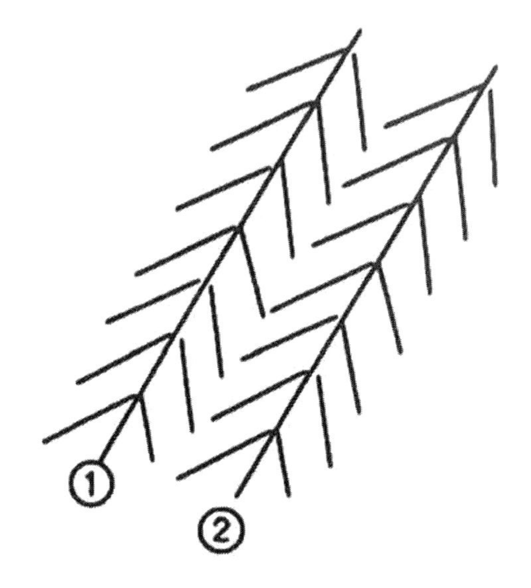

※ ①과 ②의 맥은 좌우선(맥)으로 청룡성, 백호성으로만 결속되어 지고 중심선이 없다. 이는 2맥 1속으로 무기맥 형성되어 짐(1용맥).

- 무기맥은 이탈한 무기룡맥 임.

【그림 10】 용맥 2맥 형성

6. 과맥(過脈)- 산과 산을 이어주는 마디[절(節)의 뜻]로서 용맥(龍脈)의 통로이며, 과맥이 길면 지각(支脚)이 있어야 좋다.

1) 유형

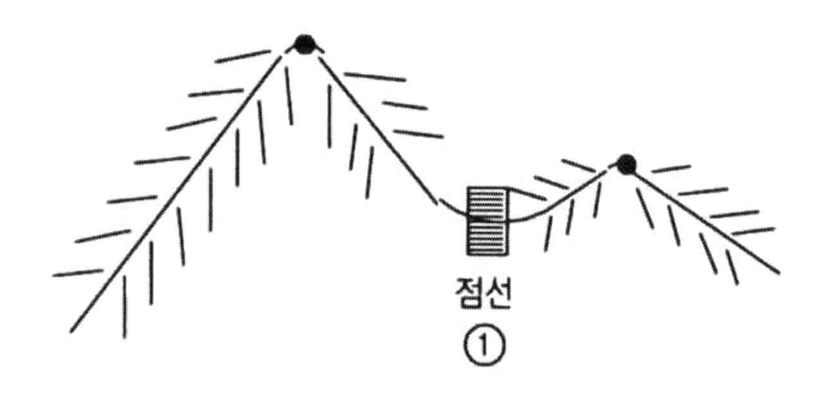

※ ①은 과맥의 절로서 이어주는 통로이다. 과맥은 에너지가 지나가기 전에 일시적 휴면 마디이고 에너지 이동의 방향, 규모, 형태를 재정립, 재설정하는 과정이다. ①은 과맥 형태 길이가 짧다(점선길이) 단과맥이라 한다.

【그림 11】 산과 산을 이어주는 마디

2) 유형

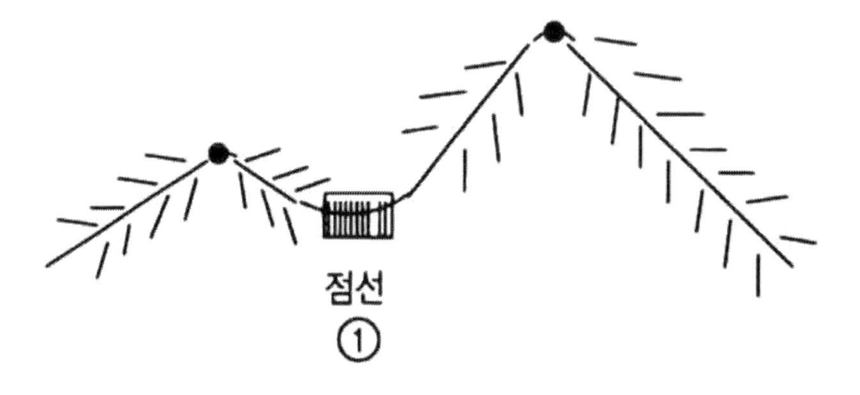

※ ①의 과맥 형태 길이가 보편적 길다(점선 길이) 중과맥이라 한다.

【그림 12】 산과 산을 이어주는 마디

3) 유형

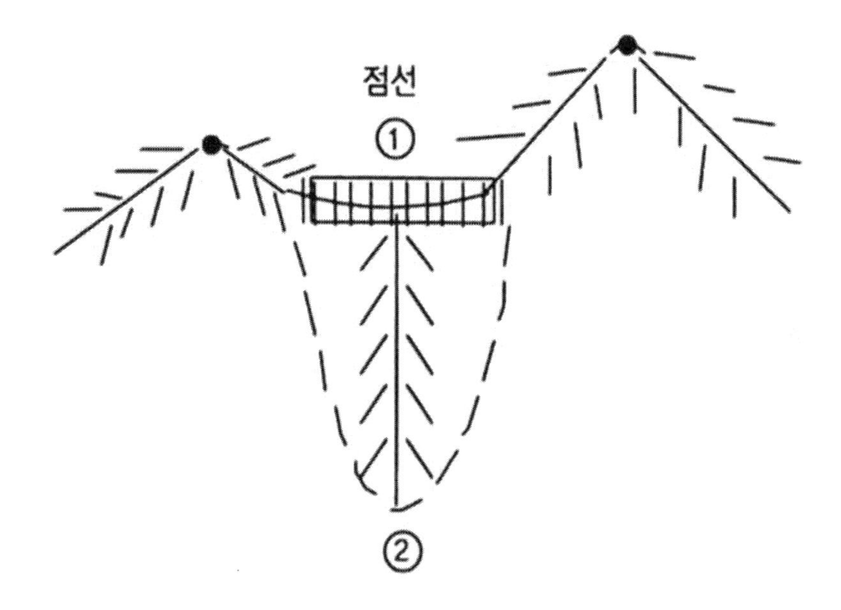

※ ①의 과맥 형태 길이가 길다. 장과맥이라 한다. ②의 형태는 지각(支脚)으로 길다.
- ②의 단지각(單支脚) 형성이다. 불안정 요소이거나 용맥이 과맥을 지나 입체되어 ②의 방향 우회하기 때문에 형성된다.

【그림 13】 산과 산을 이어주는 마디

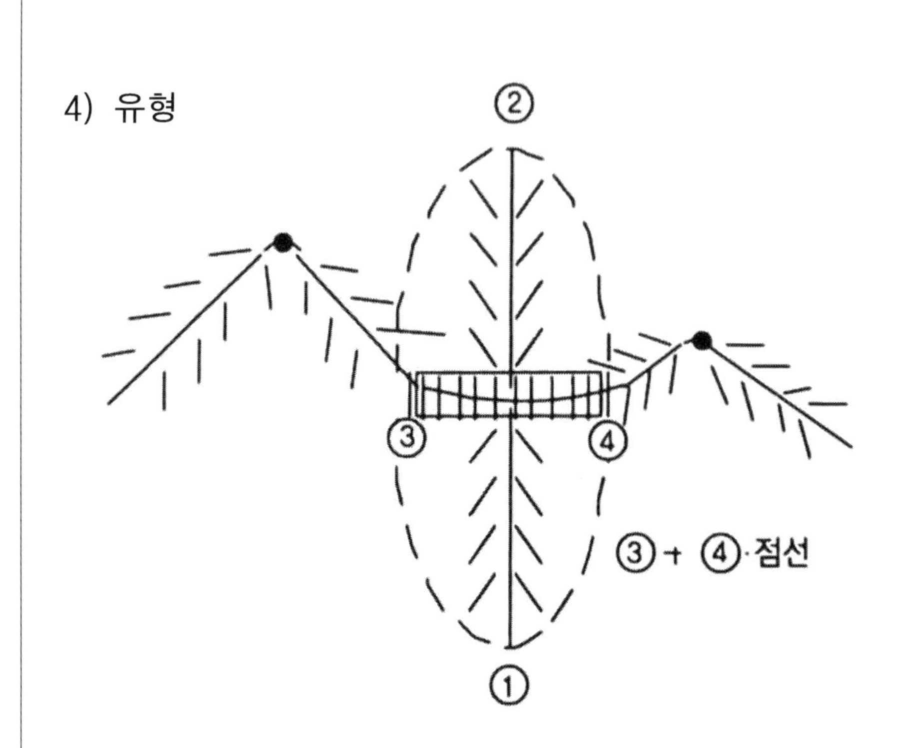

※ ③에서 ④까지 과맥이 길다(장과맥) ①과 ②는 양지각(兩支脚) 형성 형태이다. 과맥을 지나 입체 ●로 형성 용맥이 안정적 이동한다.

【그림 14】 산과 산을 이어주는 마디

7. 과협(過峽)- 산과 산을 이어주는 속기(速氣)된 마디 [절]로서 용맥(龍脈) Energy의 통로(通路)이며, 지각(支脚)이 있어야 좋고 보호사(保護砂)의 영향을 많이 받는다.

1) 유형

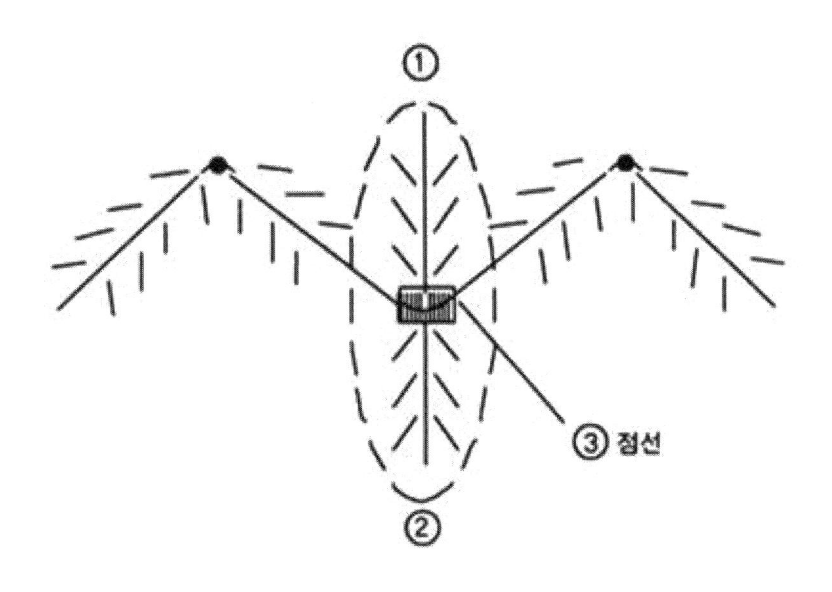

※ ③점선 내 산과 산을 이어주는 길이가 V자 형태이다. 마디가 극히 짧고 협맥 폭이 가늘게 형성한다. 양지각으로 속기 용맥을 안정적으로 보호한다.

【그림 15】 과협의 속기

2) 유형

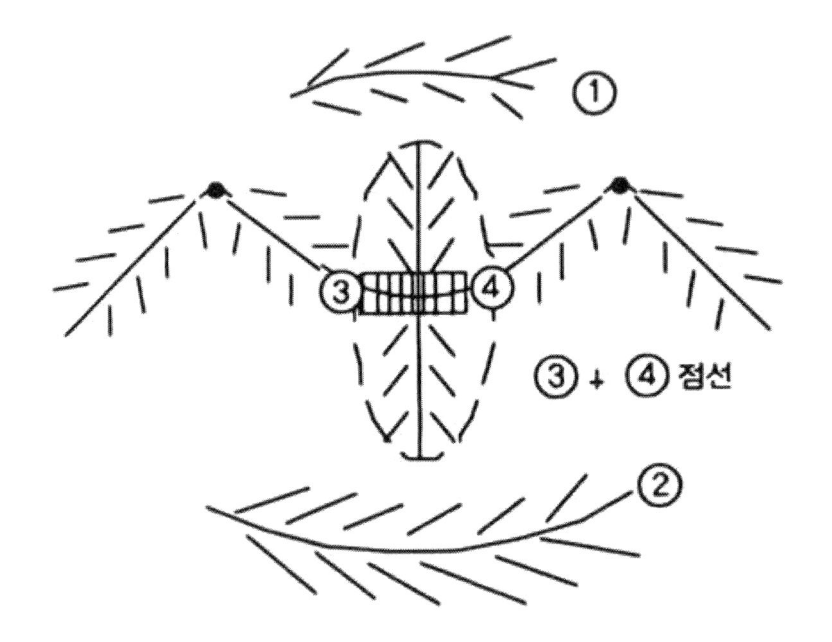

※ ③과 ④ 사이 용맥이 길지만 폭이 가늘게 마디 절이 형성하고 몇 절이 형성되기도 하여 요도, 지각이 형성되기도 한다. 마디 절이 하나로 길게 형성 시 그 부위에 양지각 형성하여 속기 맥을 보호받는다.

【그림 16】 과협의 속기

8. 내룡맥(來龍脈)- 진행(進行)하여 오는 용맥(龍脈)을 이른다.

1) 유형

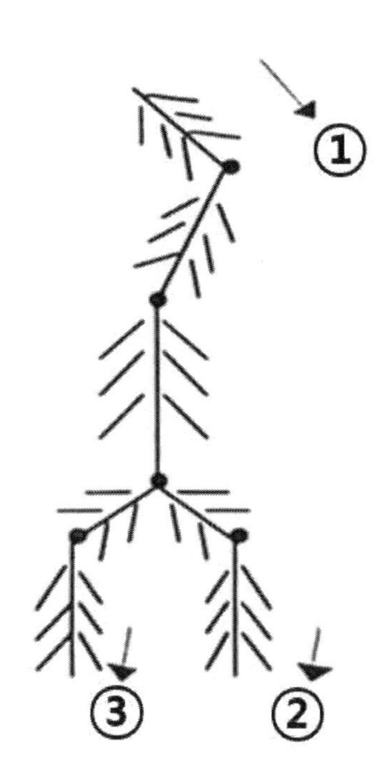

※ 1)유형 내룡맥은 높은 산 ①에서 계속 그 산이 낮아서 내리막으로 ②, ③으로 진행하여 오는 맥이다.

【그림 17】 진행하여 오는 용맥

2) 유형

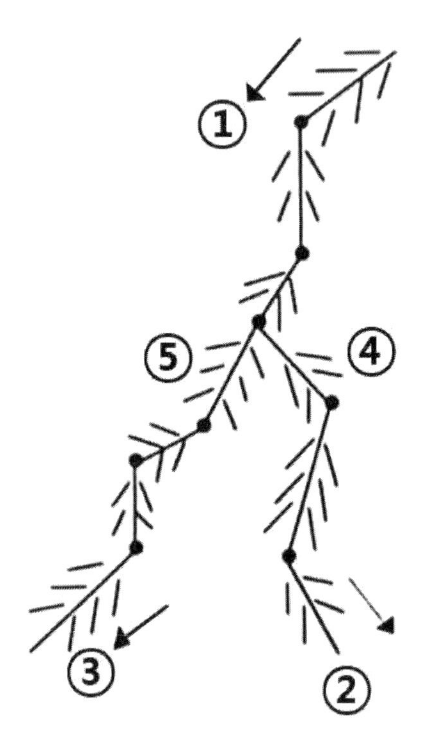

※ 2)유형 1)유형과 해석이 같으나 분벽은 ④, ⑤유형이 다르고 변역 방식이 다르다.

【그림 18】 진행하여 오는 내룡맥

3) 유형

※ 용맥이 오르고 내리는 과정으로
①, ②, ④, ⑧은 오르는 현상이고,
③, ⑤, ⑥, ⑦, ⑨, ⑩은 내리는 현상이다.

【그림 19】 내룡맥이 오르고 내리는 현상

9. 조종산(祖宗山)- 혈장(穴場)의 조상(祖上)이 되는 산봉(山峰)을 뜻하고, 태조산(太祖山), 중조산(中祖山), 소조산(小祖山), 현무(玄武)를 합쳐서 조종산이라 한다.

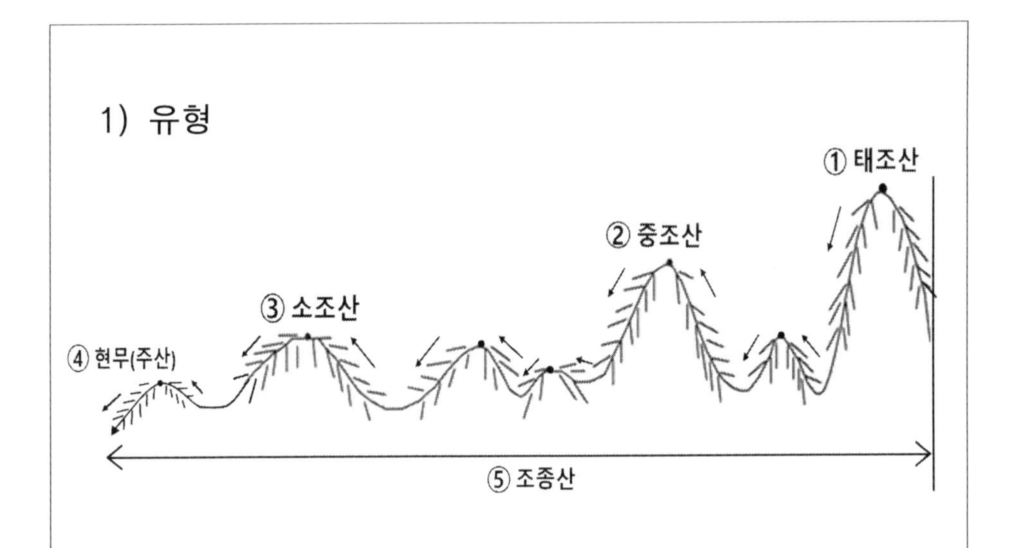

※ ①, ②, ③, ④까지를 조종산이라 한다.

- ①이 높고 ②가 그다음 낮고 ③이 그다음 낮고 ④가 그다음 순으로 낮으면서 이동(흐름)해 오면 매우 안정적 균형적, 평등적 유지적이고 강왕(强旺) 한 조종산이다.

(기준은 혈장 뒤 현무(주산)에서 역순으로 조상이 된다.

-현무(주산) 뒤 소조산이 낮거나 또는 중조산도 낮으면 지구력(持久力: 어떤 일에 오래 해낼 수 있는 힘)이 약(弱)해진다.

【그림 20】 조종산의 질서 체계

10. 태조산(太祖山)- 혈장(穴場)을 형성하는 본신룡(本身龍)의 출신(出身) 근원(根源)이 되는 먼 곳의 크고 수려(秀麗)한 산으로서 중조산(中祖山) 뒤에 있는 산봉(山峰)을 말한다.

1) 유형

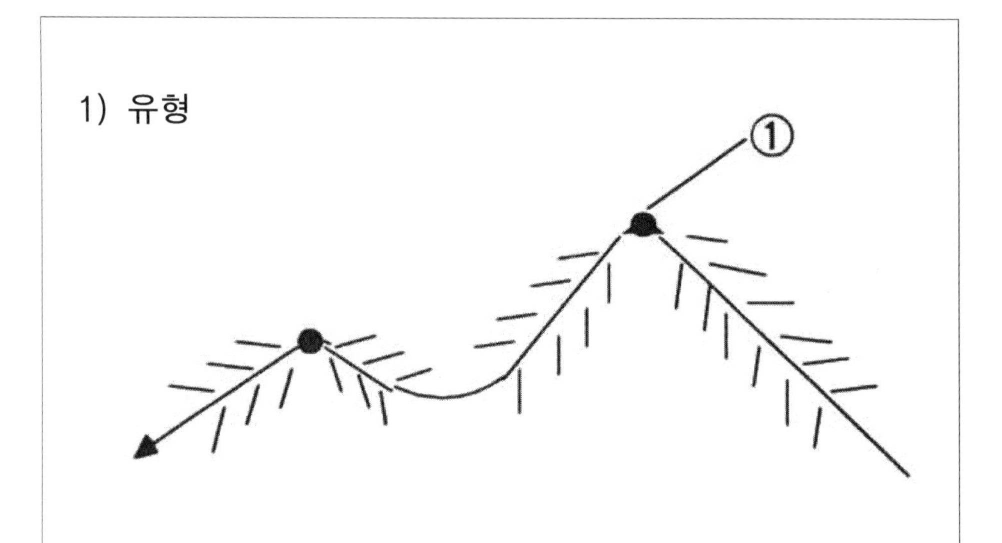

※ ①의 산봉우리가 태조산(봉우리 ● 정)이다.

- 태조산은 본신룡맥의 출신이자 근본 (사물의 본질이고 본바탕, 혈통)의 뿌리이다.
- 크고 수려한 곳으로 강왕(强旺: 강하고 왕성)해야 그 에너지체 진행이 강대(强大)해 진다.

【그림 21】 태조산의 산맥질서 체계

2) 유형

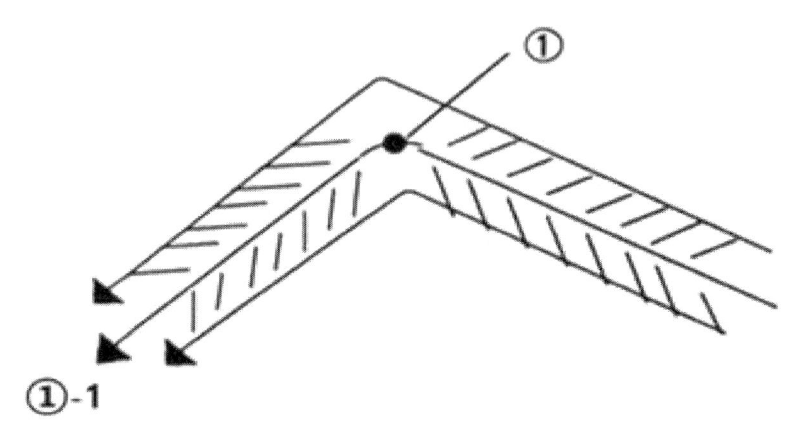

※ 태조산의 산맥은 반드시 에너지체가 3맥(脈) 형성되어야 그 질서와 체계를 이루게 된다.

- 3맥은 일속(一束)으로 묶어지고 ①-1의 맥은 중심축이 되어 약간 凸형으로 형성되어야 하고 좌우 맥을 합성시켜 (약간 낮음) 이동한다.

【그림 22】 태조산의 산맥질서 체계

11. 중조산(中祖山)- 태조산(太祖山)과 소조산(小祖山)의 중간점에 있는 크고 수려한 산봉(山峰)을 말한다.

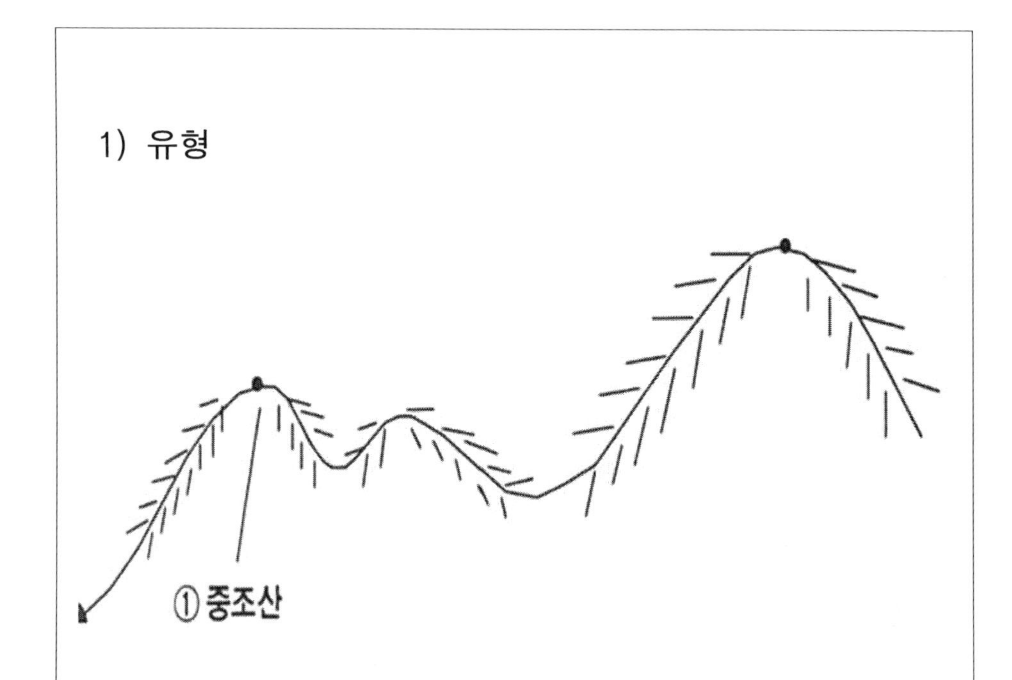

※ 중조산의 산맥은 반드시 에너지체가 3맥(脈) 형성되어야 그 질서와 체계를 이루게 되고 반듯해야 한다.

- 중조산은 태조산의 근본을 이어받으므로 그 형태도 같은 에너지체로 형성되어 진다.

【그림 23】 중조산의 산맥질서 체계

12. 소조산(小祖山), 주산(主山), 현무(玄武)- 중조산(中祖山)과 입수두뇌(入首頭腦)의 중간지점에 있는 크고 수려한 산이며 혈장에서 제일 가까운 조종산(祖宗山)으로서 조종산(祖宗山) 중에서 가장 중요한 산봉(山峰)을 이른다.

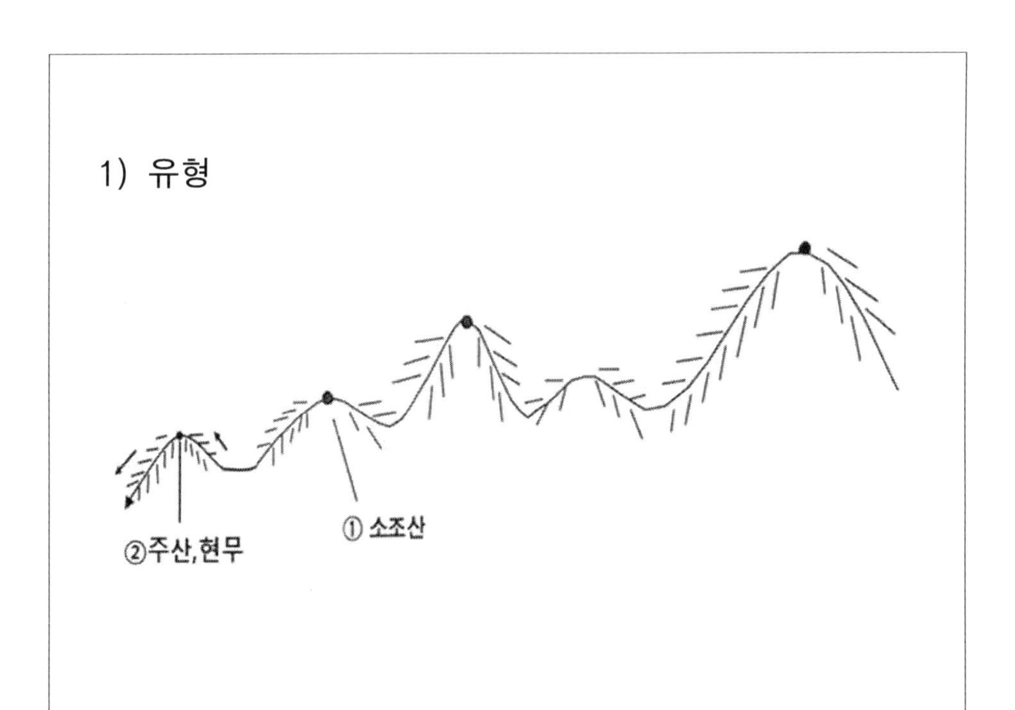

※ 소조산의 산맥은 반드시 에너지체가 3맥(脈) 형성되어야 그 질서와 체계를 이루게 되고 반듯해야 한다.

- 소조산은 중조산의 근본을 이어받으므로 그 형태도 같은 에너지체로 형성되어 진다.

【그림 24】 소조산의 산맥질서 체계

13. 현무정(玄武頂·주산정(主山頂))- 현무·주산의 맨 윗 부분에 있는 정점(頂點)을 말한다.

1) 유형

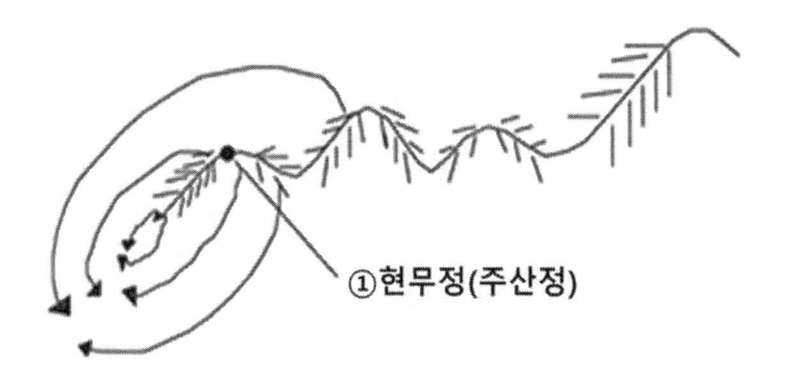

※ 현무정·주산정의 산맥은 반드시 에너지체가 3맥(脈) 형성되어야 그 질서와 체계를 이루게 되고 반듯해야 한다.
현무정·주산정은 소조산의 근본을 이어받으므로 그 형태로 같은 에너지체로 형성되어 진다.

【그림 25】 현무정·주산정의 산맥질서 체계

14. 본신룡(本身龍脈): 주룡맥(主龍脈)- 태조산(太祖山)에서 입수 직전(直前)까지의 용맥으로서 혈장(穴場)을 형성하는 용맥이므로 본신룡맥 또는 주룡맥이라 한다.

1) 유형

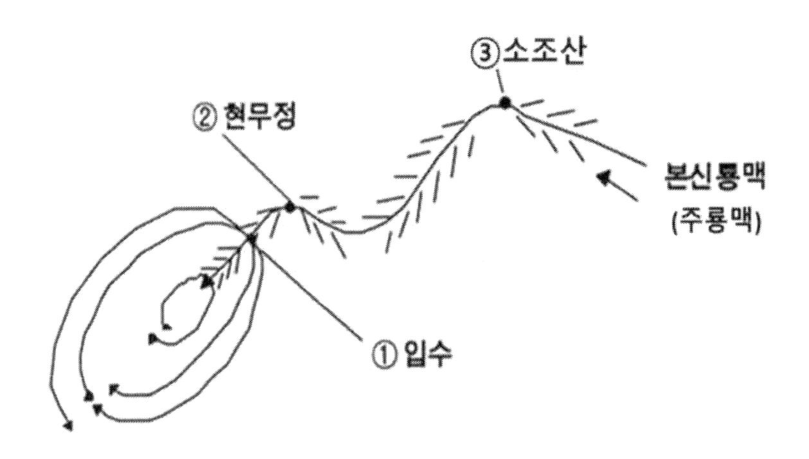

※ 현무정·주산정의 산맥은 혈장과 근거리로 직전까지 용맥이다. 이는 본신용맥 에너지 특성화 된다.

- 혈장에 직전까지 3맥이 형성되어야 그 질서 체계를 이루면서 반듯하게 근본을 이어받아 그 형태도 같은 에너지체로 형성되어 진다.

【그림 26】 본신룡맥의 산맥질서 체계

15. 본신룡맥의 분벽(分擘)- 본신룡맥으로부터 용맥(龍脈)이 두 개로 나뉘어져 변역(變易)하는 형태이다.

분벽 시는 정분벽(正分擘) 또는 부정분벽(不正分擘)의 질서 체계 형태로 형성된다.

1) 유형

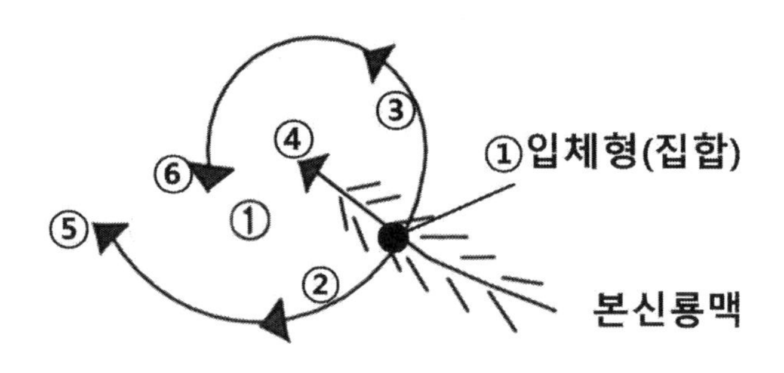

※ - 본신룡맥(주룡맥)이 집합하여 분벽 시 두 개 이상 용맥이 나누어지는 것이 분벽이다.(분벽 시는 입체형이 형성됨)

- ①의 입체형(에너지체 집합현상)이 형성되면서 ②.③.④로 나누어진다. (②는 청룡맥 ③은 백호맥으로 형성)

- ⑤.⑥은 ④의 중출맥 방향으로 회전, 보호, 육성 의무를 지닌다. 이를 전호, 응기, 응축으로 설명한다.

【그림 27】 본신룡맥의 분벽질서 체계

2) 유형

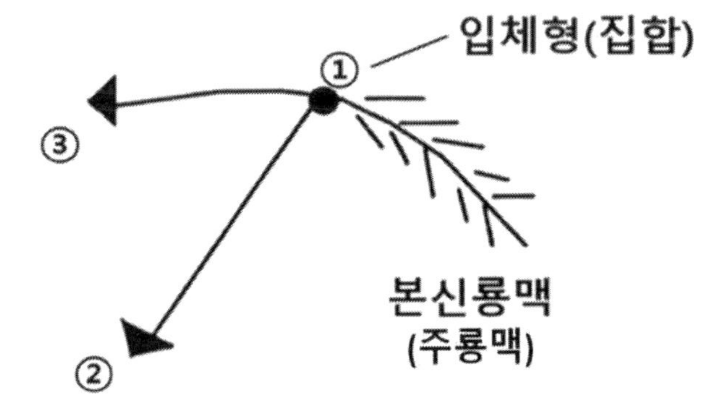

※ – 본신룡맥(주룡맥)이 ①의 입체로 형성되면서 ②와 ③의 형태로 2맥(脈)이 나누어져 형성될 수 있다.

【그림 28】 본신룡맥의 분벽질서 체계

3) 유형

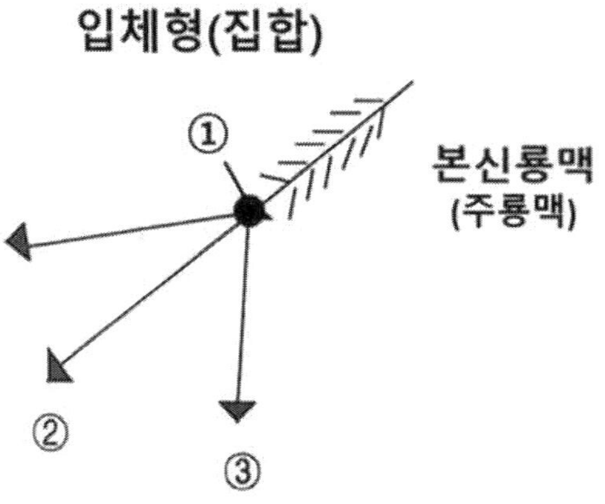

입체형(집합)

①

본신룡맥
(주룡맥)

②

③

※ 본신룡맥(주룡맥)이 ①의 입체형 형성되어 3개 용맥으로 나누어져 ②, ③, ④의 형태로 형성될 수 있다.

【그림 29】 본신룡맥의 분벽질서 체계

4) 유형

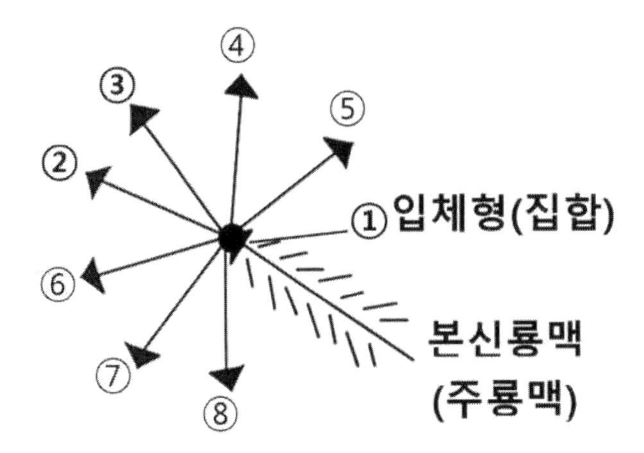

※ 본신룡맥이 ①의 입체형이 형성되면서 ②, ③, ④, ⑤, ⑥, ⑦, ⑧의 8맥이 나누어져 형성될 수 있다.

- 3맥 이상 형성되면 다분벽(多分擘)이라 한다.
- 다분벽 맥에서 본신룡맥 주체성 용맥이 형성되어 진다.(주룡맥)

【그림 30】 본신룡맥의 분벽질서 체계

16. 지룡맥(枝龍脈)- 본신룡맥(本身龍脈)에서 나누어져 3절(節) 이상 변역(變易)하는 용맥이다.

1) 유형

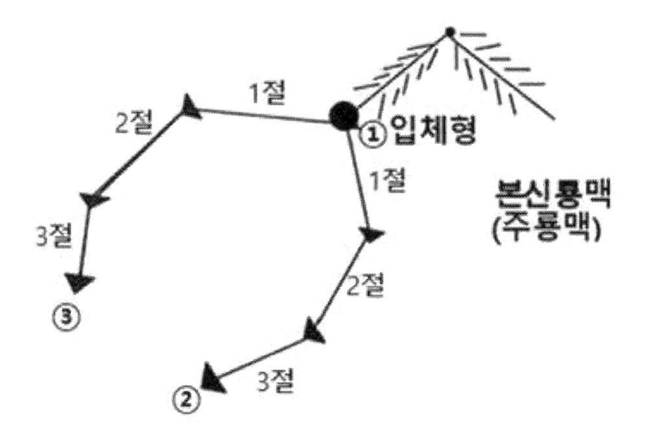

※ 본신룡맥 ①에서 분벽하여 ②와 ③으로 나누어져 나가는 맥이 3절 이상 변역하는 용맥이다.
- 안쪽으로 변역하면 응기, 응축, 육성하는 용맥이다.

【그림 31】 본신룡맥의 지룡맥 질서 체계

17. 지룡맥(支龍脈)- 본신룡맥에 따라 변역하면서 본신룡맥을 보호하고 본신룡맥에 에너지를 응기(應氣), 응축(凝縮), 육성(育成)하는 용맥이다.

1) 유형

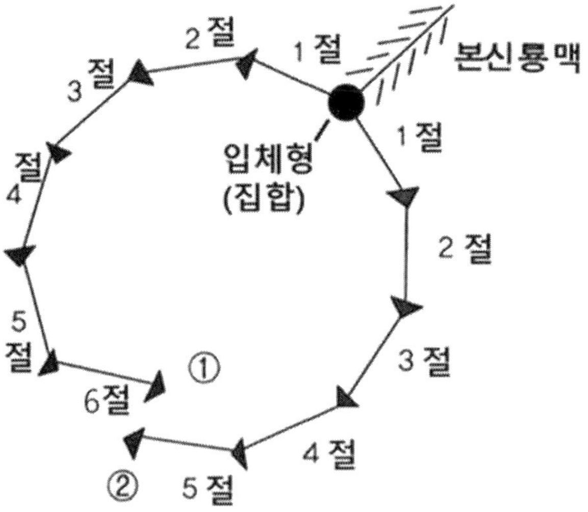

※ 입체형에서 ①, ②안쪽으로 보호하고 응기, 응축, 육성하는 용맥이다.

【그림 32】 지룡맥(支龍脈)·지룡(枝龍脈) 질서 체계

18. 순룡맥(順龍脈)- 지룡(支龍)과 동일(同一)한 역할을 하는 용맥이다.

1) 유형

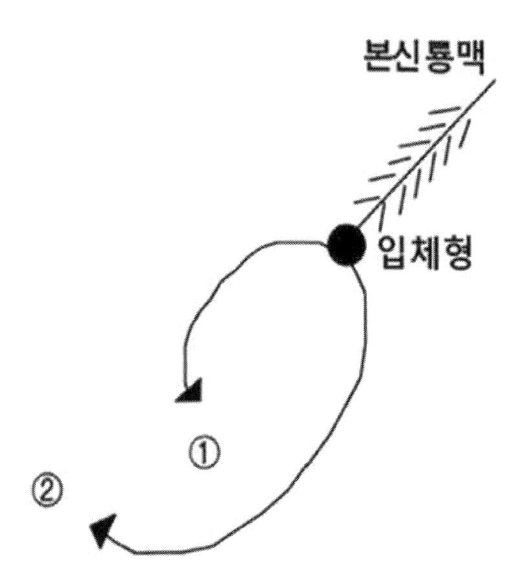

※ 지룡과 같은 용맥으로 해석하고 순용 맥의 에너지를 형성한 용맥이다.

【그림 33】 순룡맥의 질서 체계

19. 역룡맥(逆龍脈)- 본신룡맥(本身龍脈)을 보호하지 않고 다른 방향으로 변역(變易)해 가는 지룡맥(支龍脈)을 말한다.

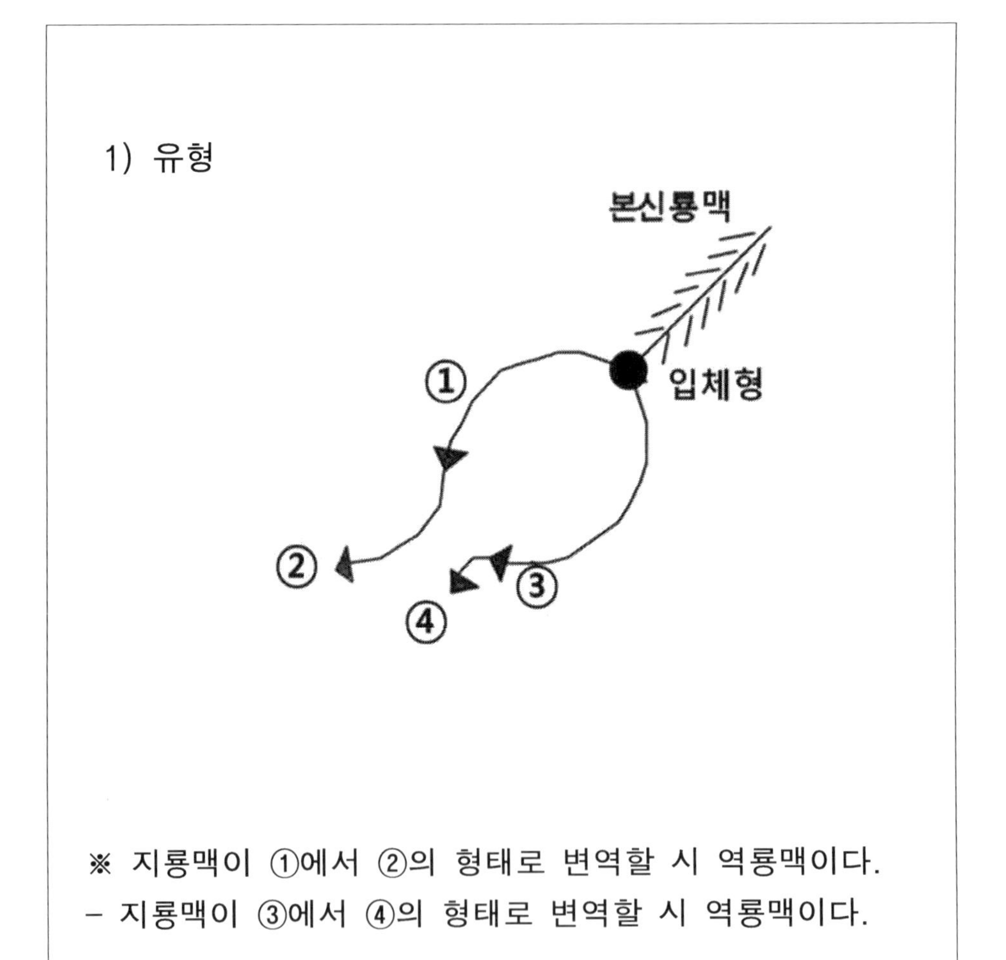

【그림 34】 역룡의 질서 체계

20. 청룡맥(靑龍脈)- 혈장(穴場)의 왼쪽에서 혈장과 본신룡맥(本身龍脈)을 보호하고 그 에너지를 혈장과 본신룡(本身龍)에 응기(應氣), 응축(凝縮), 육성(育成)하는 지룡맥을 말한다.

1) 유형

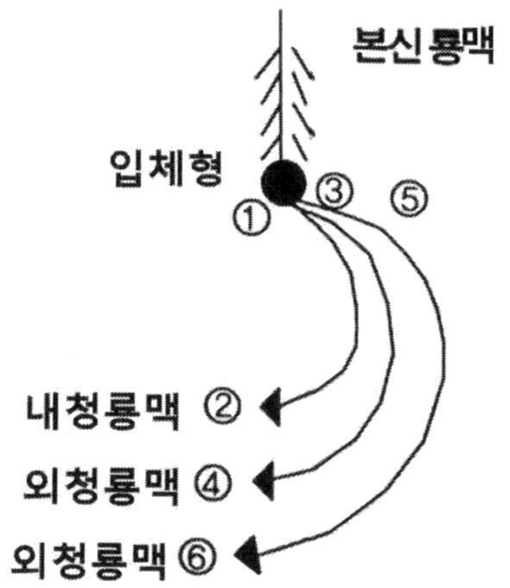

본신룡맥
입체형
① ③ ⑤
내청룡맥 ②
외청룡맥 ④
외청룡맥 ⑥

※ ① + ②는 응기, 응축, 육성
③ + ④는 응기, 응축, 육성
⑤ + ⑥은 응기, 응축, 육성

【그림 35】 청룡맥의 질서 체계

21. 내청룡맥(內靑龍脈)- 청룡맥(靑龍脈)이 여러 겹으로 있을 때 혈장(穴場)과 가장 가까이 안쪽에 있는 청룡맥이며, 혈장과 본신룡맥(本身龍脈)을 직접 보호(保護)하고 에너지를 육성(育成)한다.

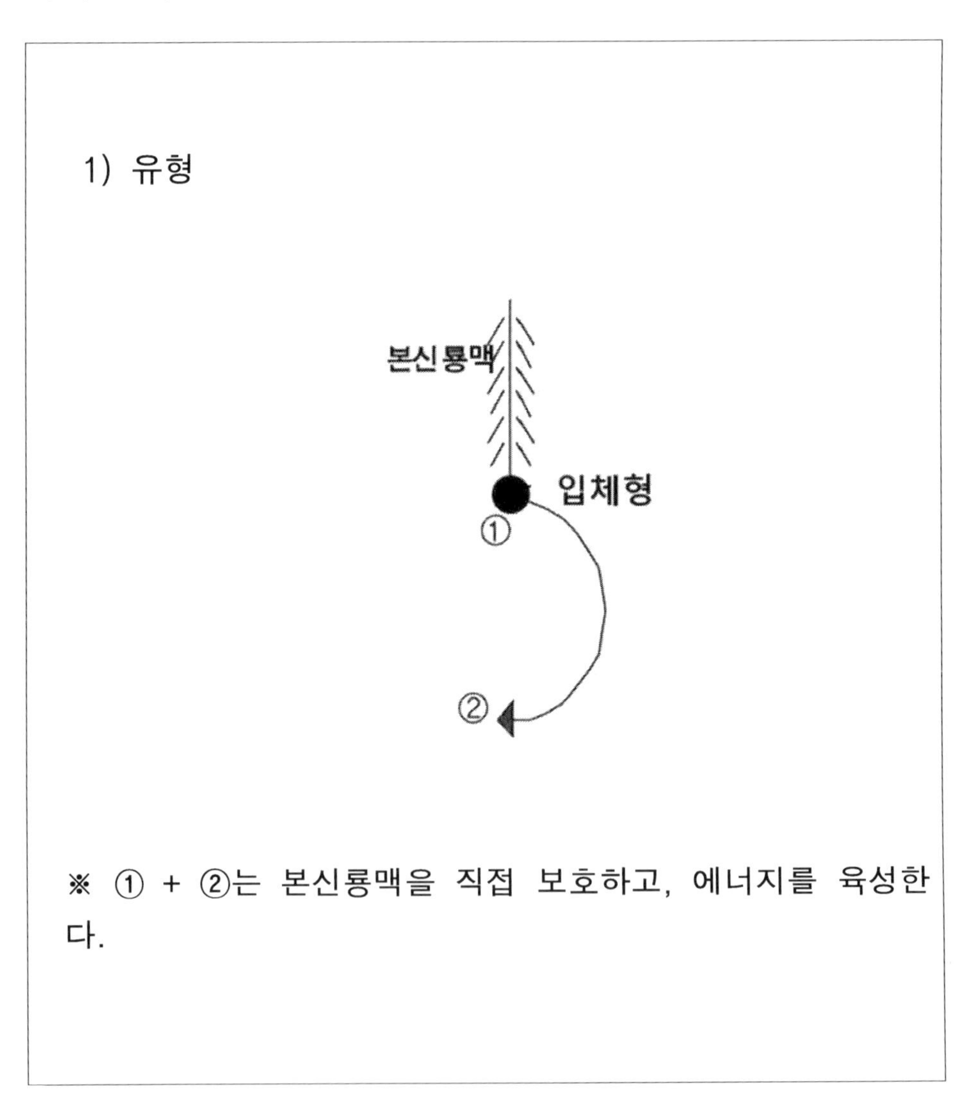

【그림 36】 내청룡맥의 질서 체계

22. 외청룡맥(外靑龍脈)- 내청룡맥(內靑龍脈)의 바깥쪽에 있는 청룡맥(靑龍脈)을 이르며, 내청룡맥을 보호(保護), 보조(補助)한다.

1) 유형

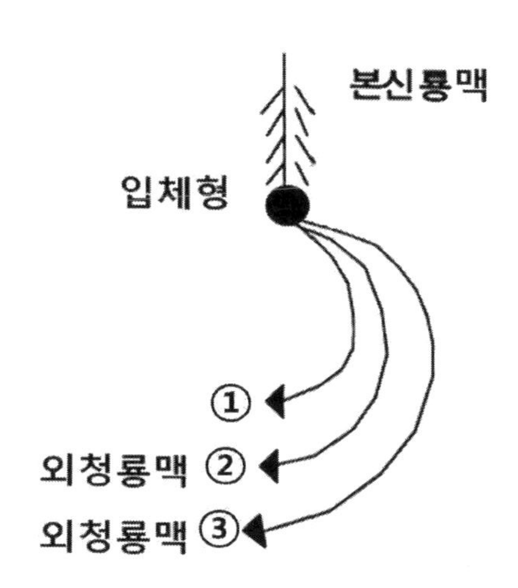

※ ② + ③은 내청룡맥을 보호, 보조하는 외청룡맥이다.

【그림 37】 외청룡맥의 질서 체계

23. 내백호맥(內白虎脈)- 백호맥(白虎脈)이 여러 겹으로 있을 때 혈장(穴場)과 가장 가까이 안쪽에 있는 백호맥이며, 혈장과 본신용맥(本身龍脈)을 직접 보호하고 에너지를 육성(育成)한다.

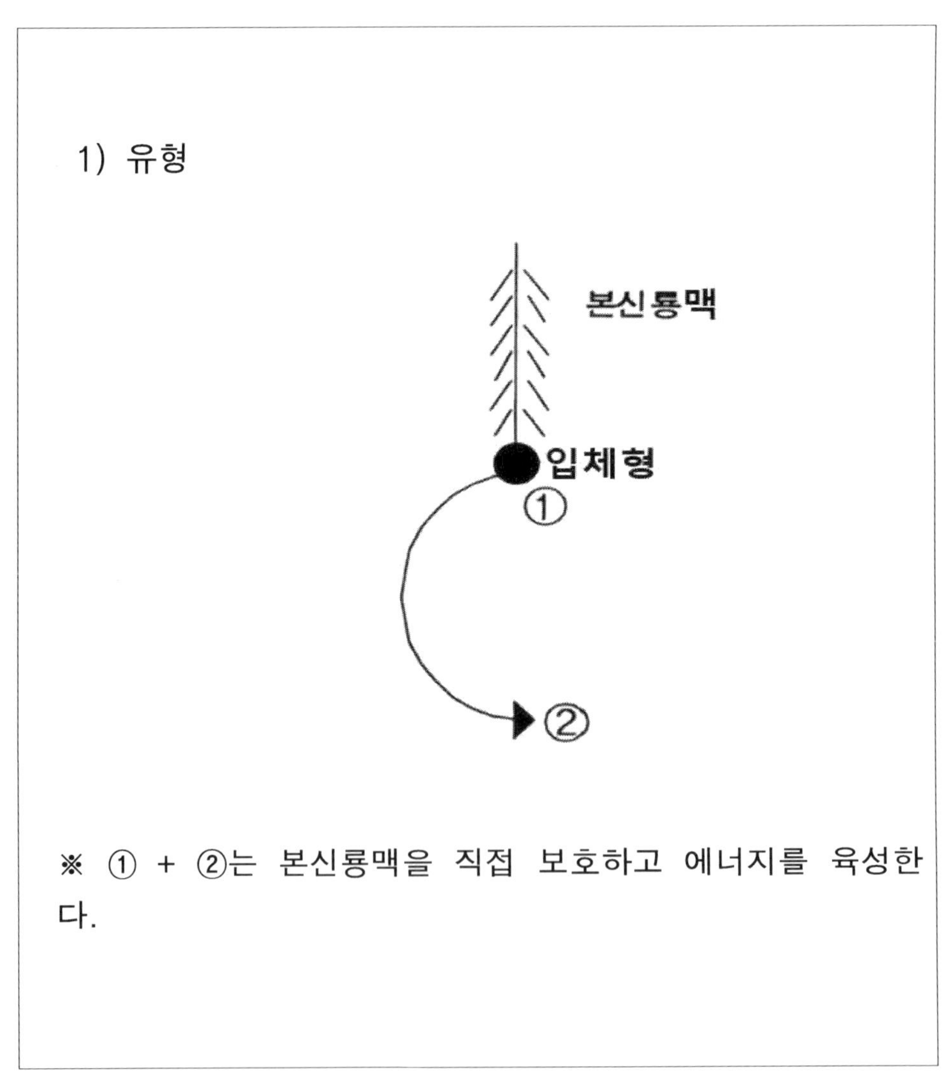

【그림 38】 내백호맥의 질서 체계

24. 백호맥(白虎脈)- 혈장(穴場)의 오른쪽에서 혈장과 본신용맥(本身龍脈)을 보호하고 그 에너지를 혈장과 본신용맥(本身龍脈)에 응기(應氣), 응축(凝縮), 육성(育成)하는 지룡맥을 말한다.

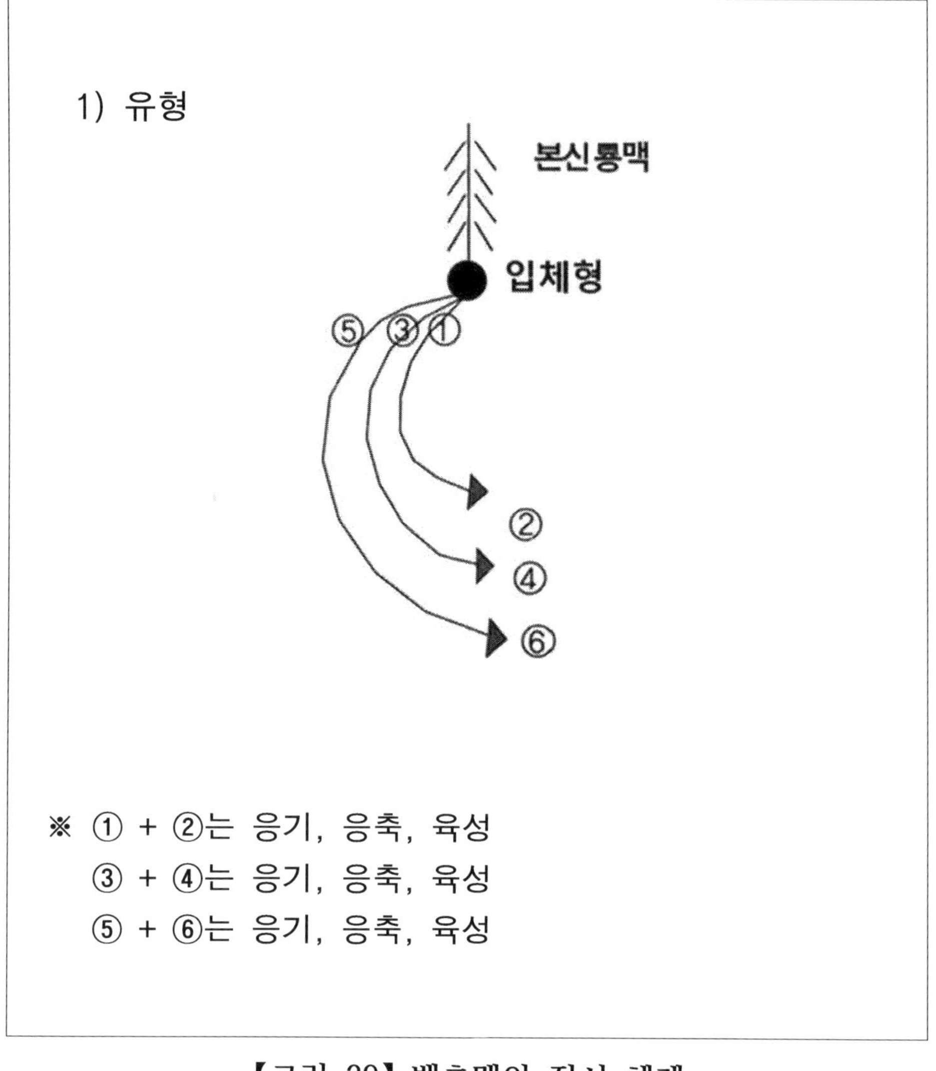

【그림 39】 백호맥의 질서 체계

25. 외백호맥(外白虎脈)- 내백호맥(內白虎脈)의 바깥쪽에 있는 백호맥(白虎脈)이며, 내백호맥 보호, 보조한다.

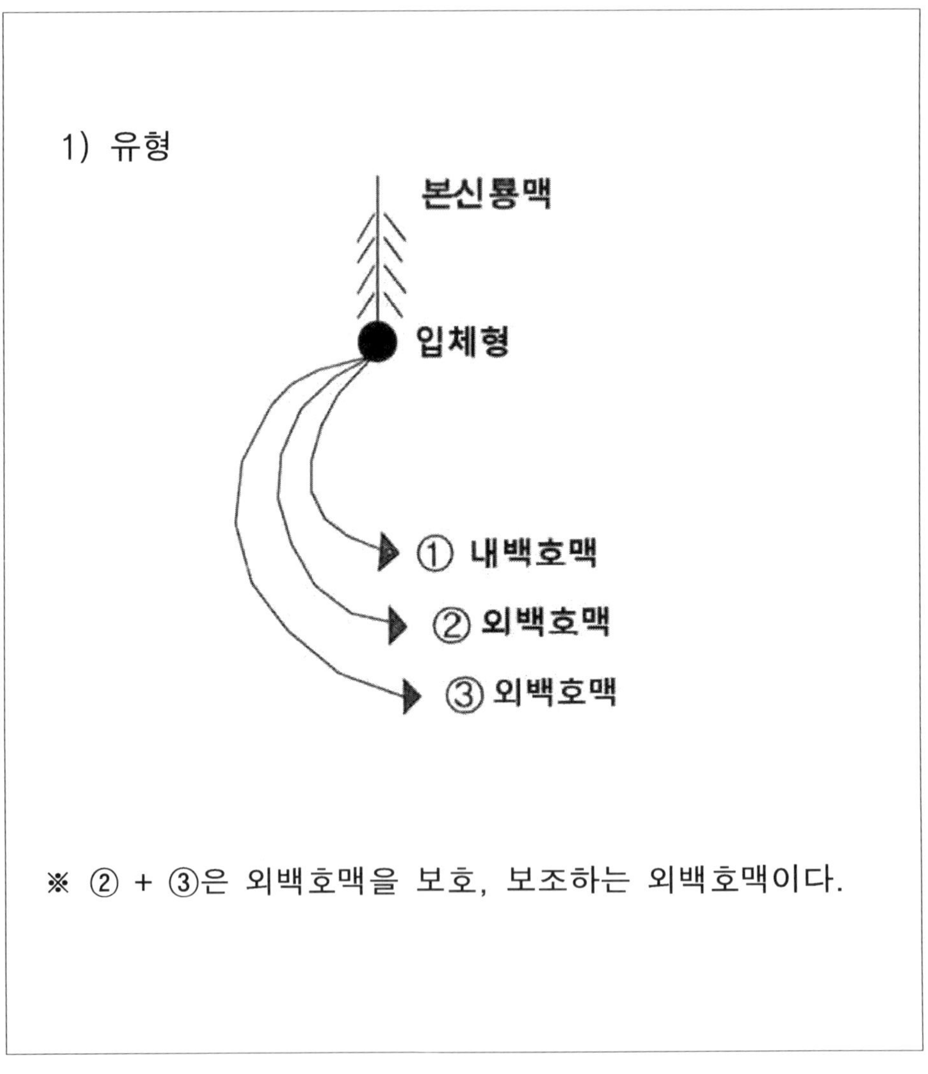

【그림 40】 외백호의 질서 체계

26. 타산청백맥(他山青白脈), 외산청백맥(外山青白脈)-본신룡맥(本身龍脈) 출맥(出脈)하지 않은 용맥(龍脈)이 청룡맥과 백호맥 역할을 하는 용맥을 말한다.

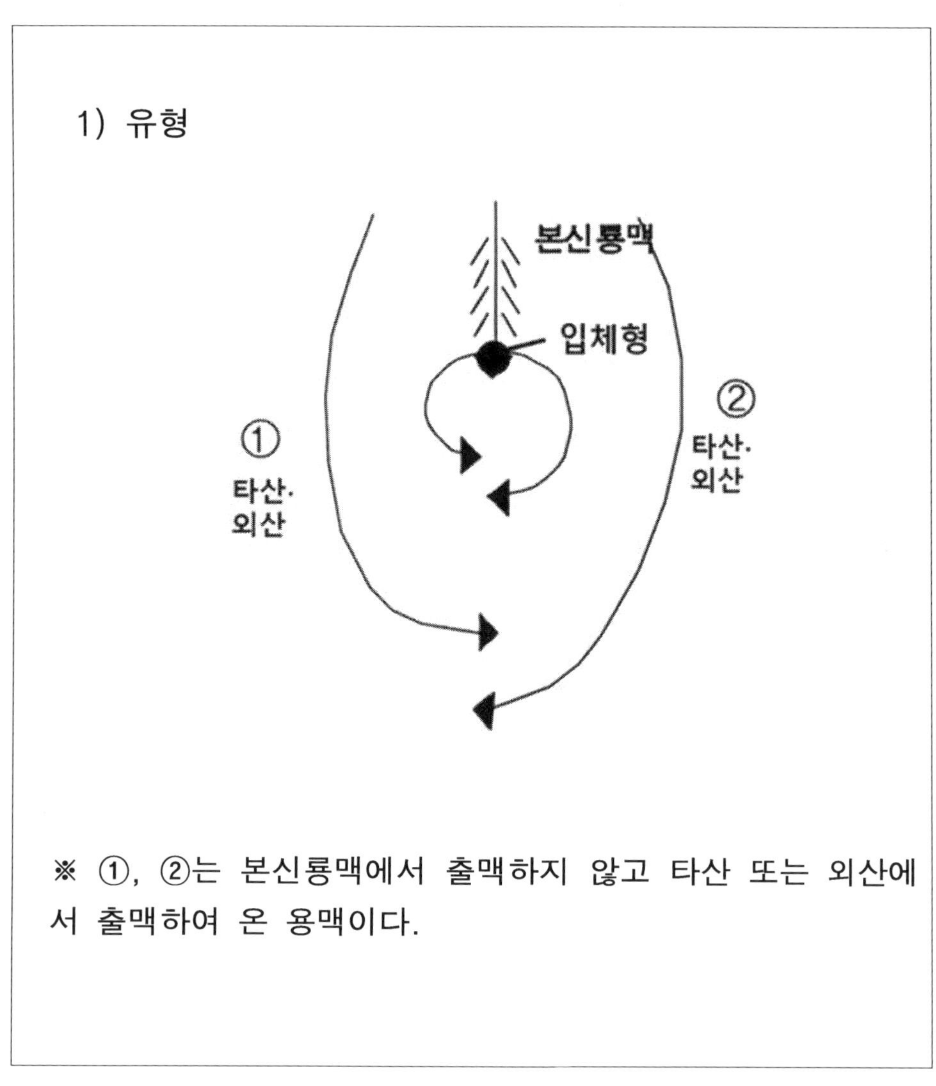

【그림 41】 타산청백맥의 질서 체계

27. 안산맥(案山脈), 주작맥(朱雀脈)- 혈장(穴場)의 앞쪽[全面]에서 혈장을 보호하고 에너지를 육성(育成)하는 산을 말한다.

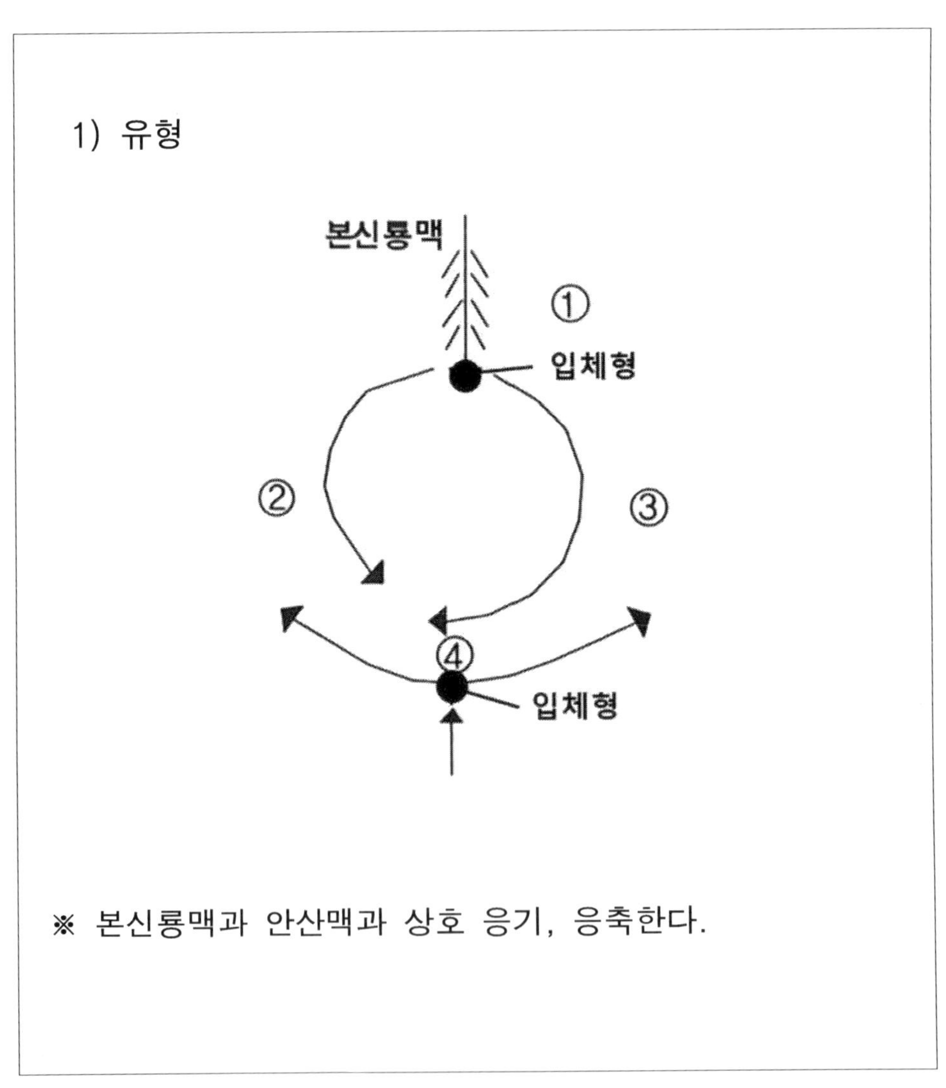

【그림 42】 안산맥의 질서 체계

28. 안대(案帶)- 안산맥(案山脈)이 병풍(屛風)처럼 띠를 두르고 있을 때, 이를 안대라 한다.

1) 유형

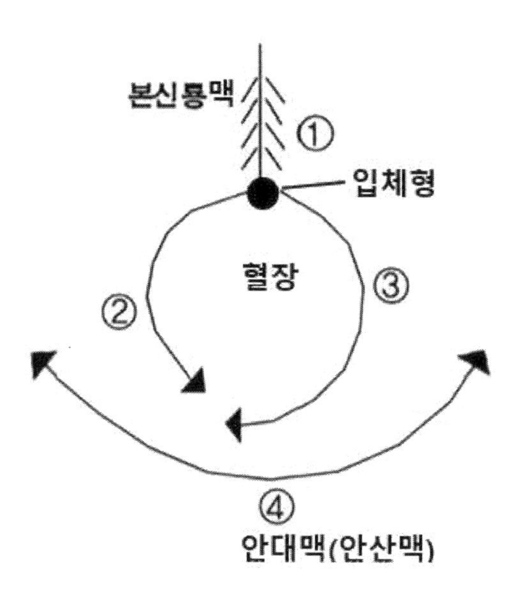

※ 안대는 혈장을 향해 응기, 응축하려는 의지이다.

【그림 43】 안대의 형성 형태

29. 조산맥(朝山脈)- 안산맥(案山脈) 위에 있는 높은 산들을 말하며, 안산맥을 보호(保護), 보조(輔助)한다.

1) 유형

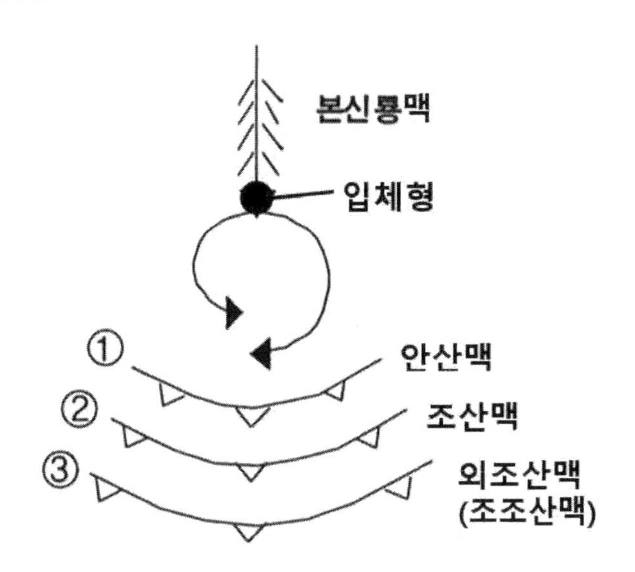

※ ①은 안산맥이고 ②는 조산맥이며 ③은 외조산 맥으로 ①보다 ②가 높아야 하고, ②보다 ③이 더 높아야 길하다. 낮으면 길함이 줄어든다.

【그림 44】 조산맥의 형성 형태

30. 낙산맥(樂山脈)- 혈장(穴場)의 바로 뒤쪽[後面]에서 혈장을 보호하고 에너지를 육성(育成)하는 산을 말한다.

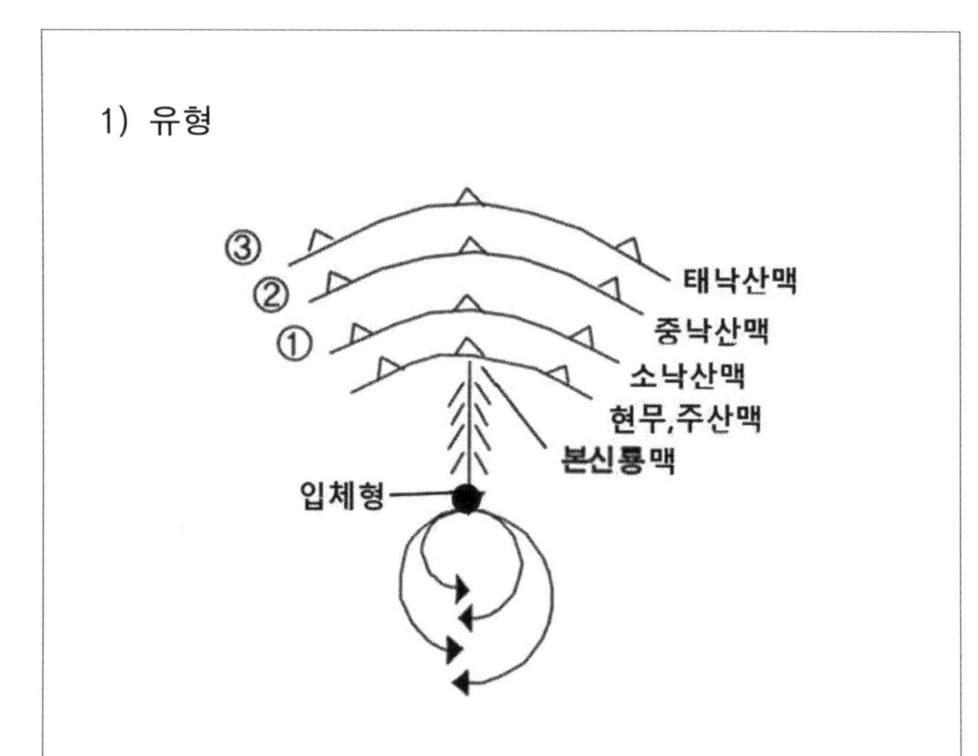

※ 낙산맥은 현무, 주산보다 ①이 높고 ②는 ①보다 높고 ③은 ②보다 더 높아야 길하다. 낮는 것만큼 길함이 부족하다.

【그림 45】 낙산맥의 형성 형태

31. 탁산맥(托山脈)- 용맥(龍脈)을 역학적(力學的)인 작용으로 변역(變易)하게 하는 산을 말한다.

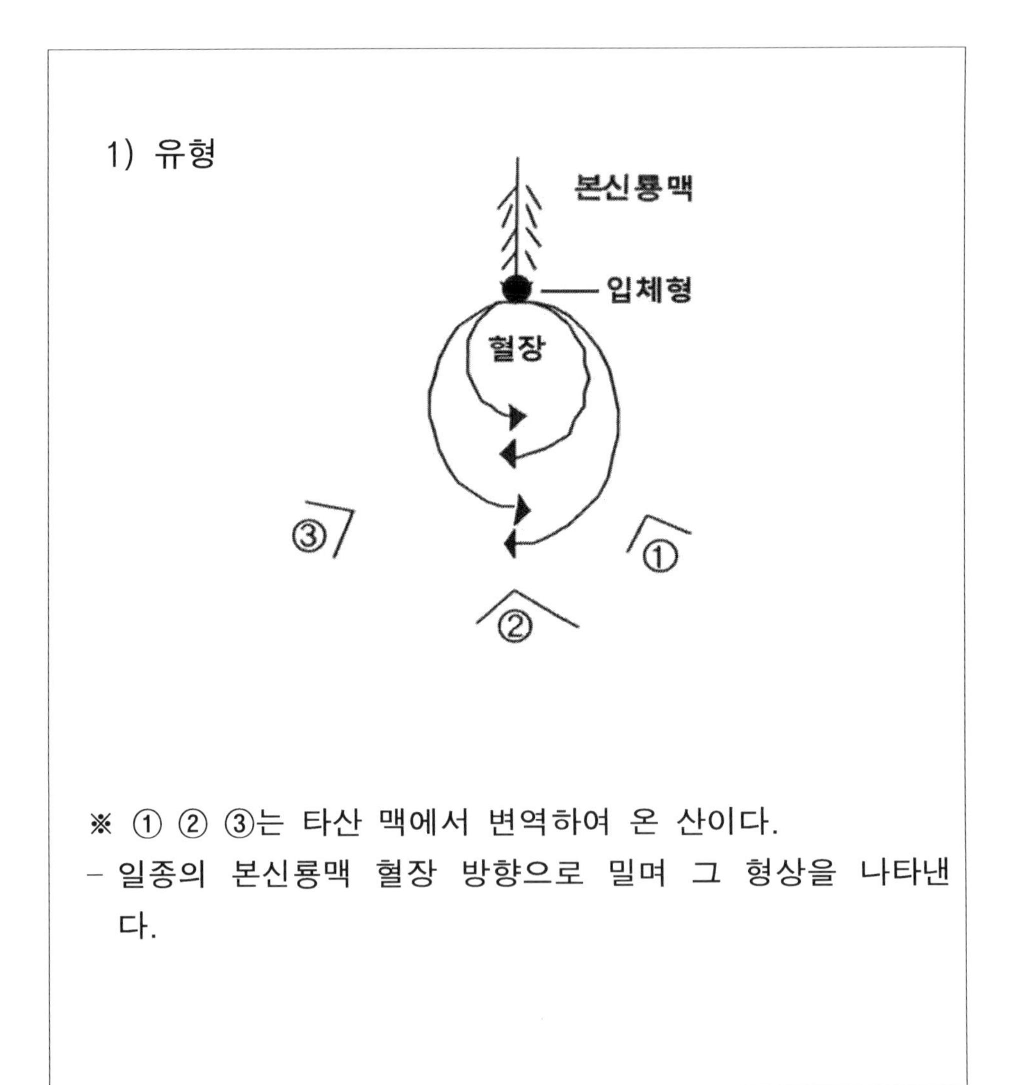

【그림 46】 탁산의 형성 형태

32. 사신사(四神砂)- 현무(玄武), 주작(朱雀), 청룡(靑龍) 백호(白虎)를 합쳐서 사신사(四神砂)라 하며 혈장을 사방에서 보호한다는 뜻이다.

1) 유형

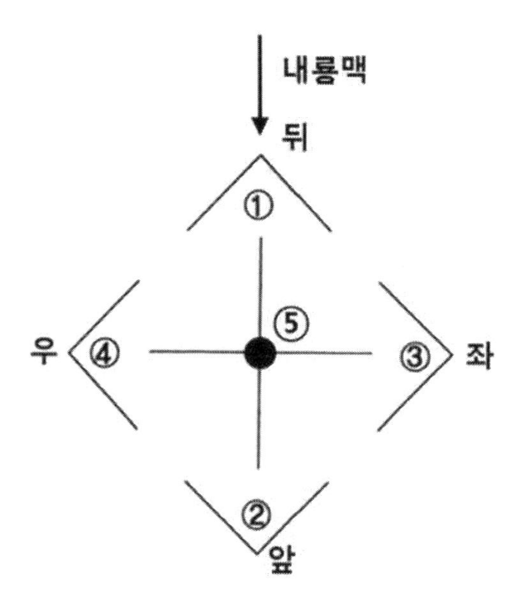

※ ①은 주산이 위치한 곳 ②는 안산이 위치한 곳
③은 청룡이 위치한 곳 ④는 백호가 위치한 곳
⑤는 혈장이 위치한 곳으로 4방에서 혈장을 보호하기 위해 응기, 응축, 육성시킨다.

【그림 47】 사신사의 형성 형태

33. 보호사(保護砂)- 혈장(穴場)과 본신용맥(本身龍脈)을 보호하는 용맥과 산을 말한다.

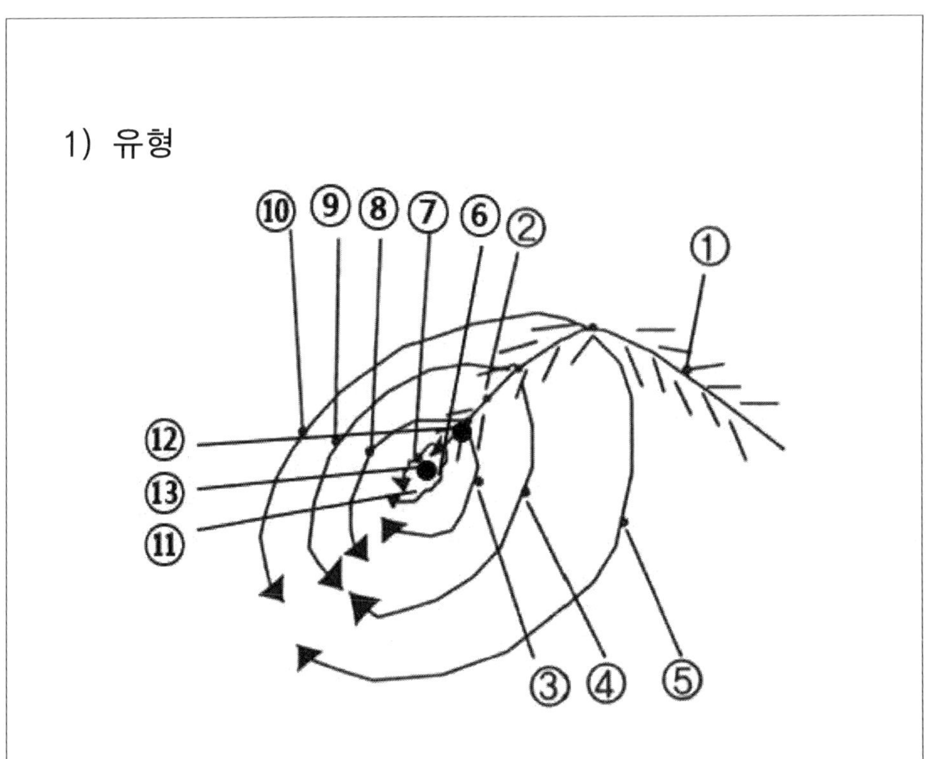

※ ①본신룡맥 ②중출맥 ③내청룡맥 ④외청룡맥 ⑤외청룡맥
⑥청룡선익 ⑦백호선익 ⑧내백호맥 ⑨외백호맥
⑩외백호맥 ⑪전순 ⑫입수두뇌 ⑬혈심
- 입수두뇌, 청룡선익, 백호선익, 전순, 혈심까지 혈장임.

【그림 48】 보호사의 질서 체계

34. 규봉(窺峰)- 보호사(保護砂) 뒤에서 흉한 모습으로 혈장을 넘어다보는 산봉우리를 말한다.

1) 유형

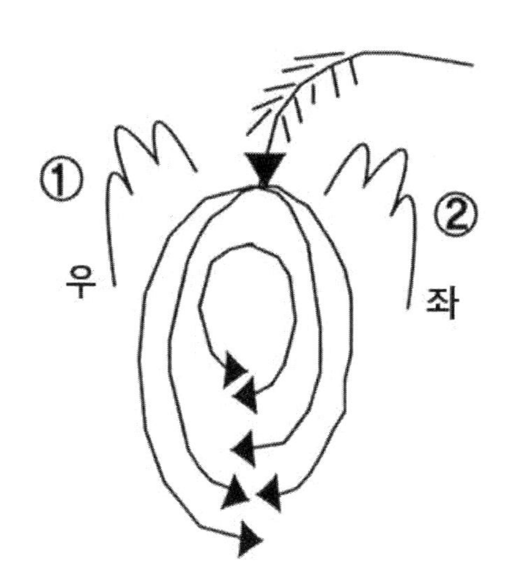

※ ①과 ②를 규봉이라 한다.
- 규봉 유형은 다양하다.

【그림 49】 규봉의 형상

35. 월봉(越峰)- 보호사(保護砂) 뒤에서 예쁜 모습으로 혈장을 넘어다보는 산봉우리를 말한다.

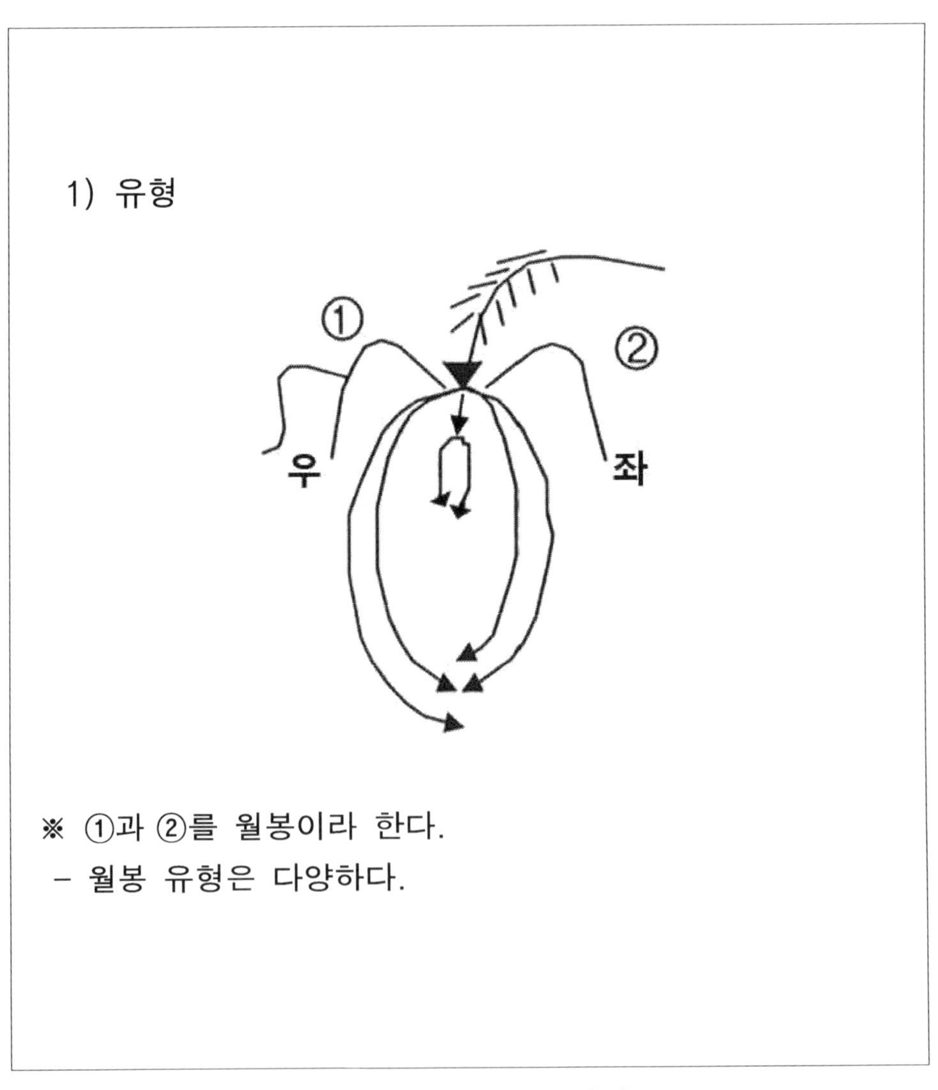

【그림 50】 월봉의 형상

36. 절(節)- 용맥(龍脈)이 변역(變易)한 마디를 절(節)이라 한다.

1) 유형

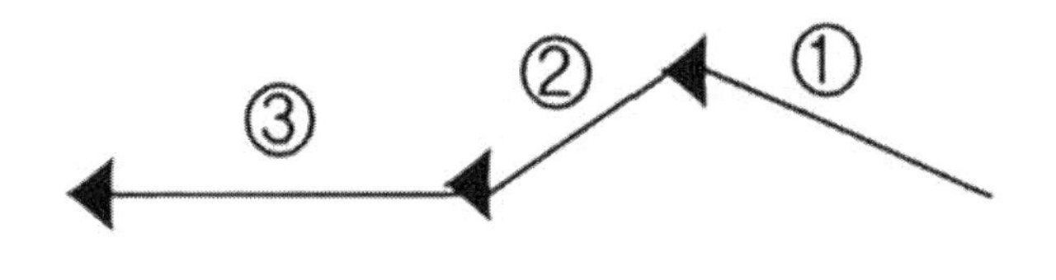

※ ①, ②, ③을 각각 절(마디) 임.
- 절의 유형은 다양하다.

【그림 51】 절의 변역 질서

37. 요도(橈棹)- 용맥(龍脈)의 가지로서 용맥에 반(反) 에너지를 공급하여 용맥의 진행각도(進行角度)를 변위(變位)시키고 용맥의 에너지를 생육(生育)시킨다.

1) 유형

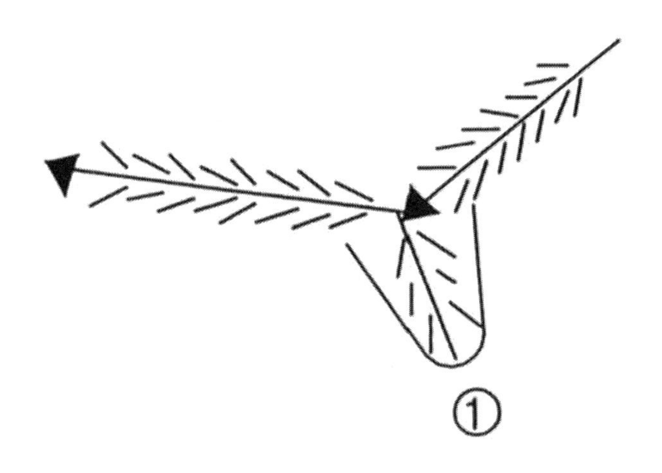

※ ①의 위치가 요도 임.

- 요도의 유형에 석질이 미는 형태로 질서가 다양하고 입석 형태이다.

【그림 52】 요도의 질서

38. 지각(支脚)- 용맥(龍脈)의 균형을 지탱해 주는 가지이며, 일절(一節)에서 끝난다.

1) 유형

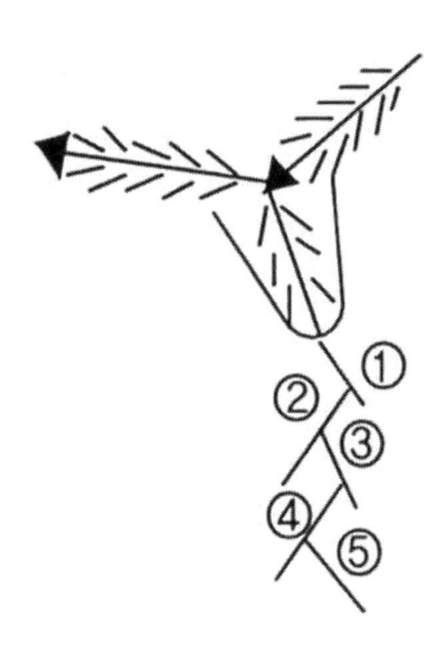

※ 요도 형태에서 이어져 ① ~ ⑤ 지각이다.
- 지각은 직선 구조로 끝 지점 이전에서 이어진다.
- 한 마디 1절이고 응기, 응축하지 않는다.

【그림 53】 지각의 형성 질서 체계

2) 유형

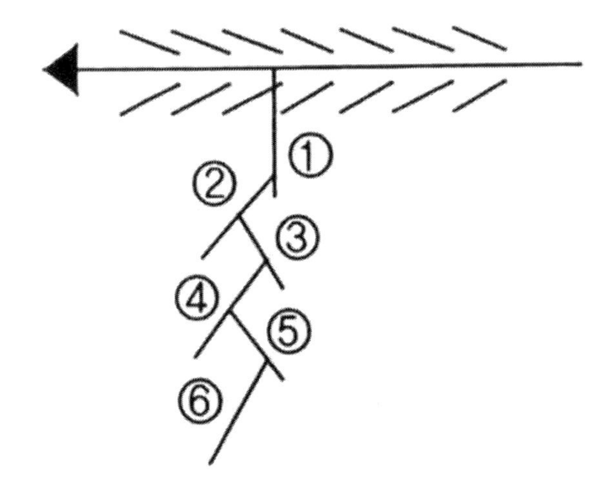

※ 용맥에 옆에서 지각 형성 질서 ①~⑥이다.
- 용맥이 길게 지나면서 좌편이 기울지 않으려고 형성되어 진다.

【그림 54】 지각의 형성 질서 체계

39. 지각(止脚)- 요도(橈棹), 지각(支脚) 끝부분이나 용맥(龍脈)의 끝부분에 붙은 가지로서 이것들을 정지(停止)시키는 역할을 한다.

1) 유형

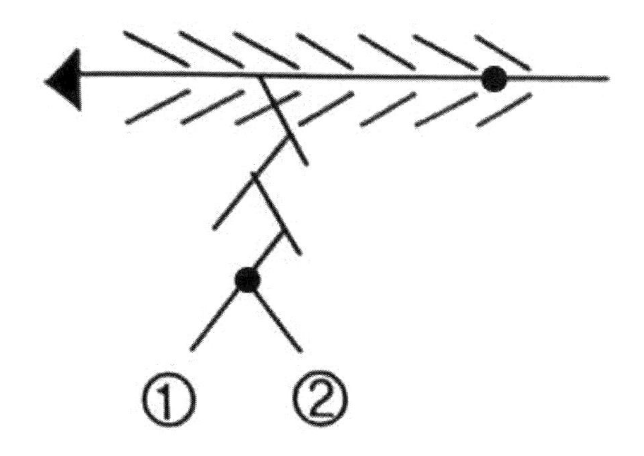

※ 지각(支脚) 끝 위치에서 정지시키는 지각(止脚)이고 ① + ②의 형태로 일직선 구조로 형성된다.

- 이 지각은 응기, 응축하지 않는다.

【그림 55】 지각의 형성 질서 체계

2) 유형

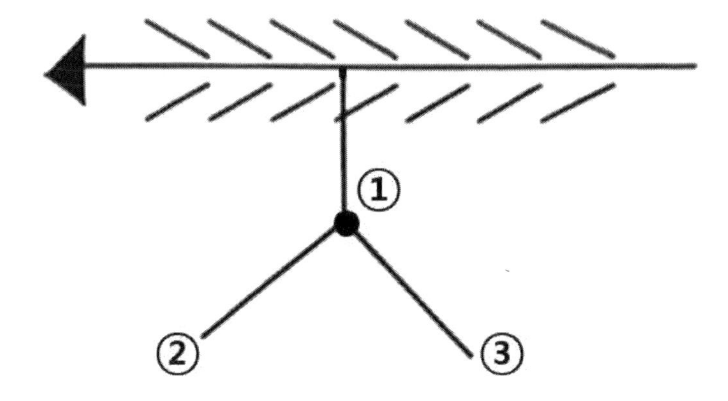

※ ①은 지각(支脚)이고 ②, ③은 지각(止脚)이다.

【그림 56】 지각의 형성 질서 체계

40. 관쇄(關鎖)- 청룡과 백호의 끝부분이 빗장걸이를 한 것처럼 겹쳐 있는 모습을 이른다.

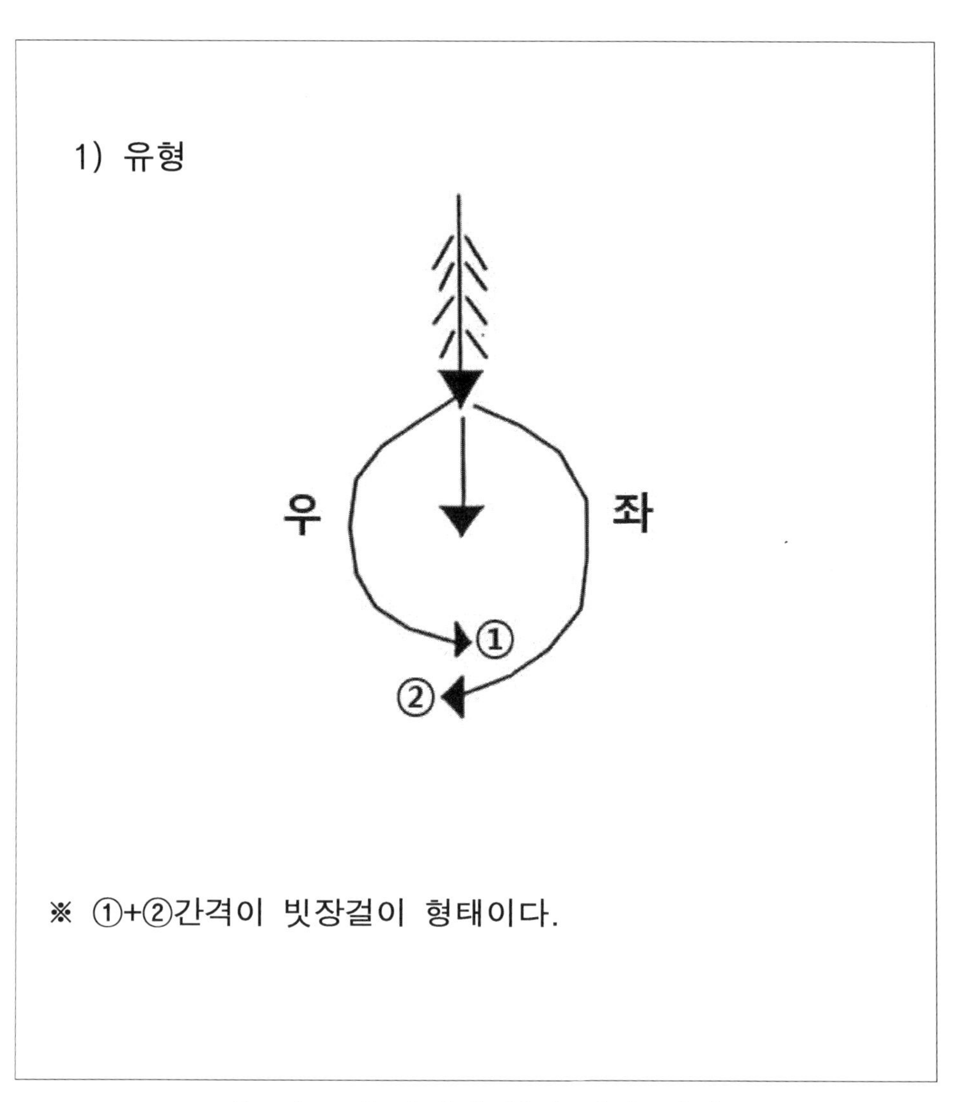

【그림 57】 관쇄의 형성 질서 체계

2) 유형

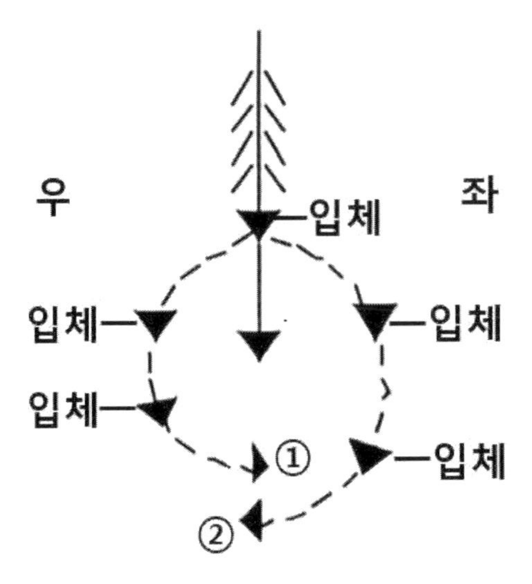

※ ①과 ② 사이 빗장걸이 형태이고, 각 용맥의 입체(기운 집합 봉우리) 형성 시 ①과 ②사이 관쇄는 매우 강왕하며 주밀하다.

【그림 58】 관쇄의 형성 질서 체계

41. 합금(合襟)- 관쇄(關鎖)와 같은 뜻으로 청룡맥과 백호맥 끝부분이 옷깃을 여민 것처럼 겹쳐서 있는 모습을 이른다.

1) 유형

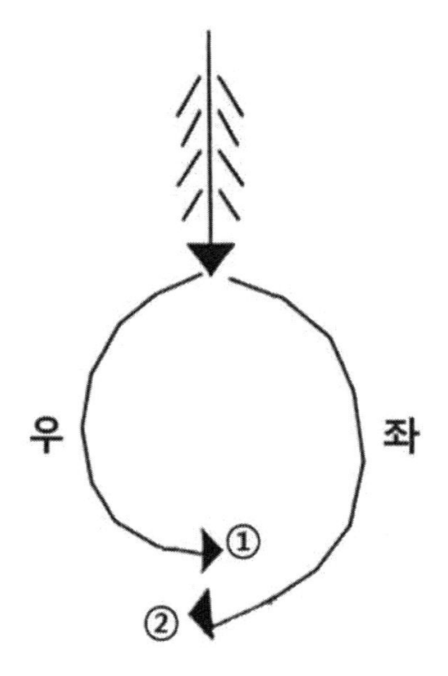

※ 옷깃을 여민 것처럼 ①과 ②의 끝 지점이 겹쳐 있다.

【그림 59】 합금의 형성 질서 체계

42. 상부(相符)- 청룡맥과 백호맥 끝부분이 관쇄 못하고 서로 빗대어 있거나, 서로 빗대어 진행하는 것을 말한다.

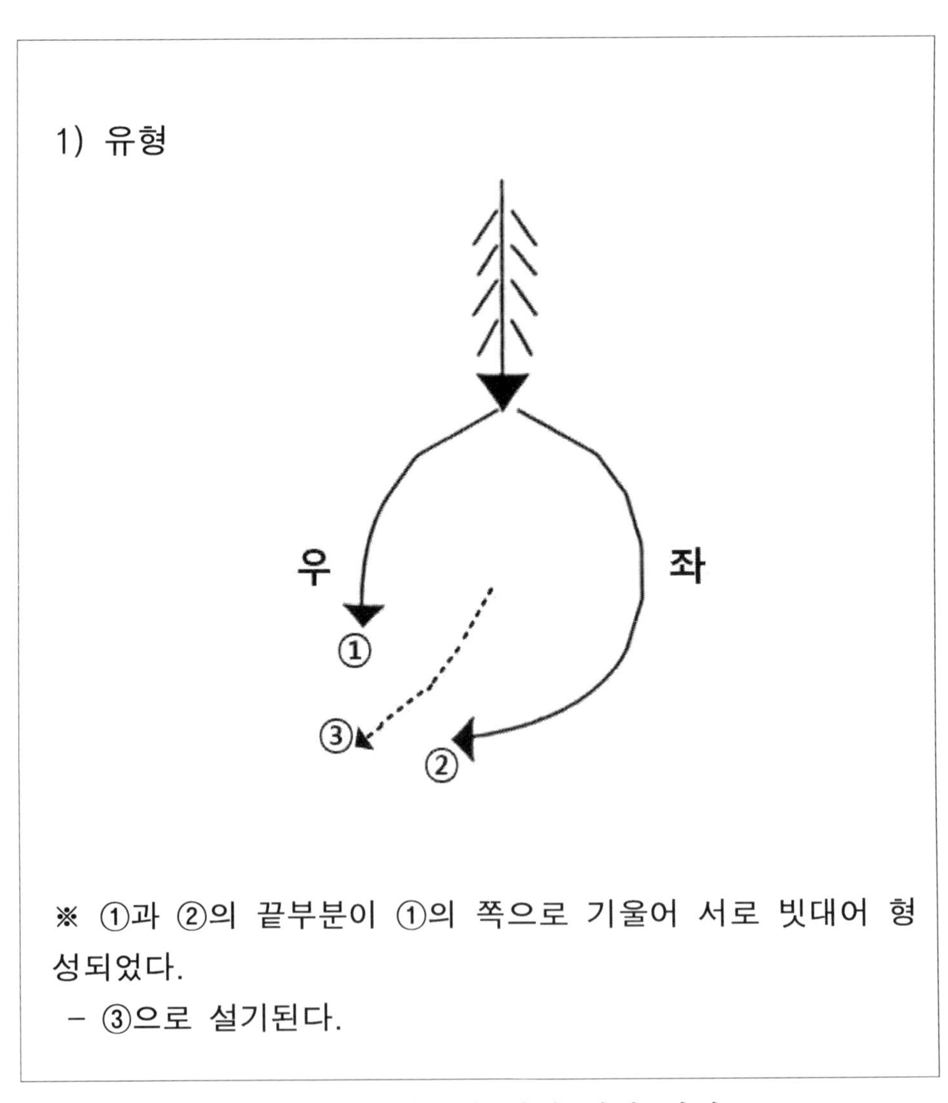

【그림 60】 상부의 형성 질서 체계

2) 유형

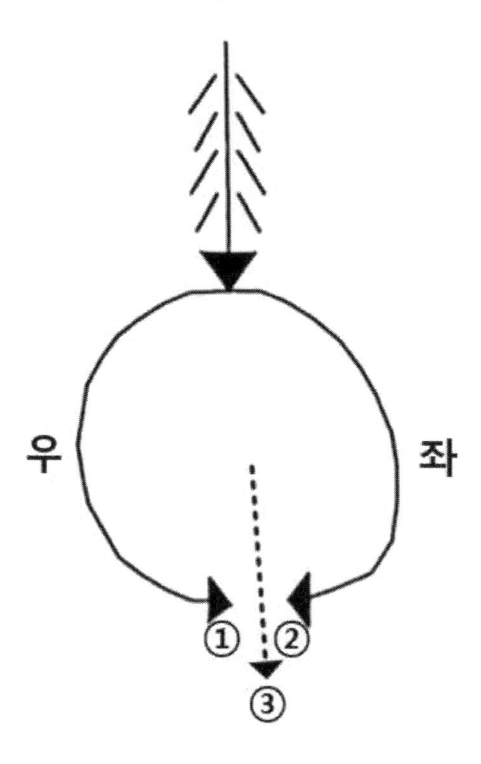

※ ①과 ②의 끝부분이 중앙 쪽으로 대치하는 형태이다.
 - ③으로 설기된다.

【그림 61】 상부의 형성 질서 체계

3) 유형

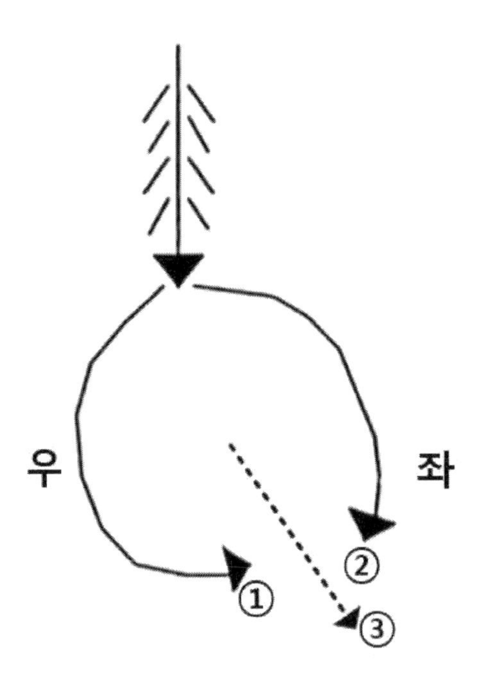

※ ①과 ②의 끝부분이 ③의 쪽으로 기울어 서로 빗대어 형성되었다.

- ③으로 설기된다.

【그림 62】 상부의 형성 질서 체계

43. 장풍(藏風)- 혈장에 직사(直射) 풍이 치는[충(冲), 사(射)] 것을 피하고 순화된 바람을 순환 공급시켜야 혈장이 보호되고 에너지가 육성되므로 바람을 잘 갈무리해야 한다는 뜻이다.

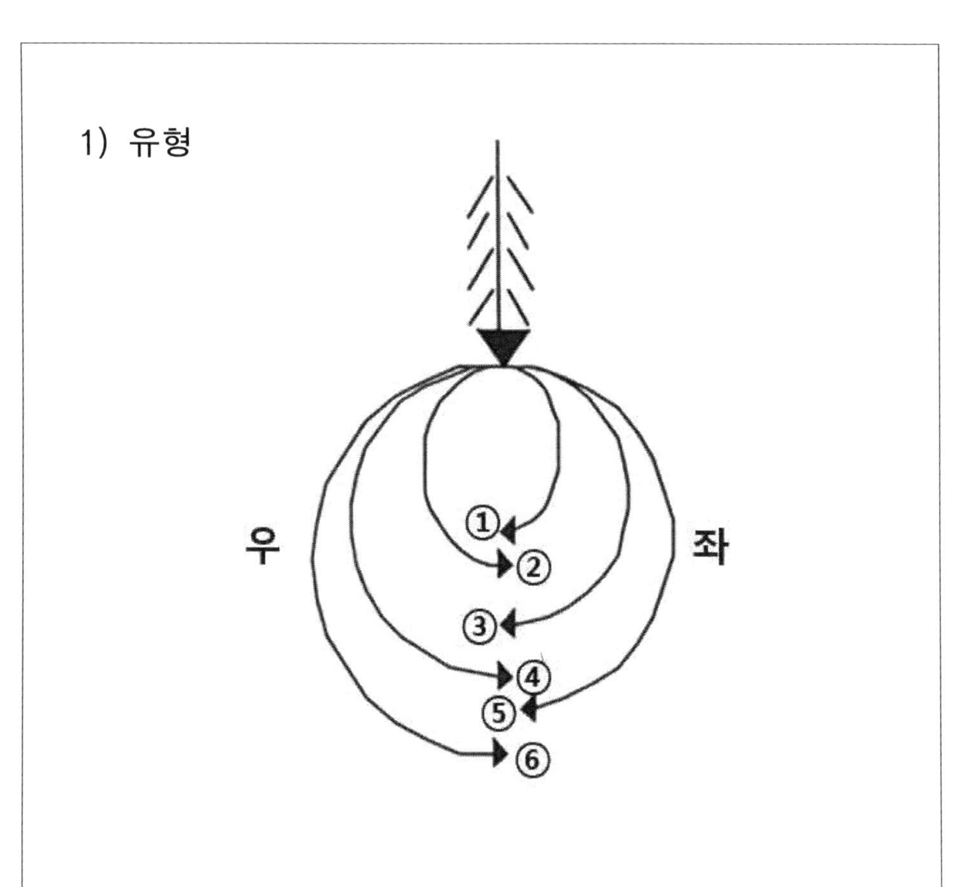

【그림 63】 장풍의 형성 질서 체계

2) 유형

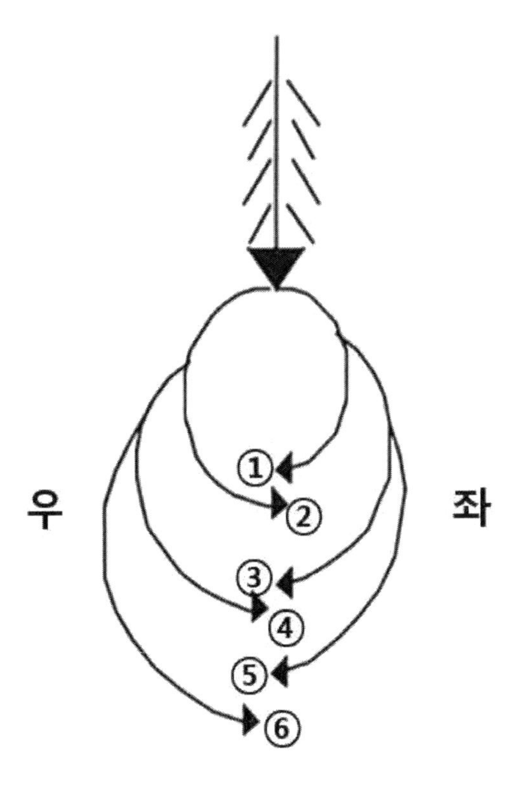

※ 좌우 용맥이 ①~⑥과 같은 유형으로 끝 지점이 관쇄 되는 것처럼 형성되지 않은 체 미완 상태로 형성되어 진 것이다.

- 완전 장풍이 안된 것이다.

【그림 64】 장풍의 형성 질서 체계

44. 득수(得水)- 혈장(穴場)에 에너지 육성 및 응축을 위하여 적절(適切)한 수기(水氣) 에너지를 공급한다는 뜻이다.

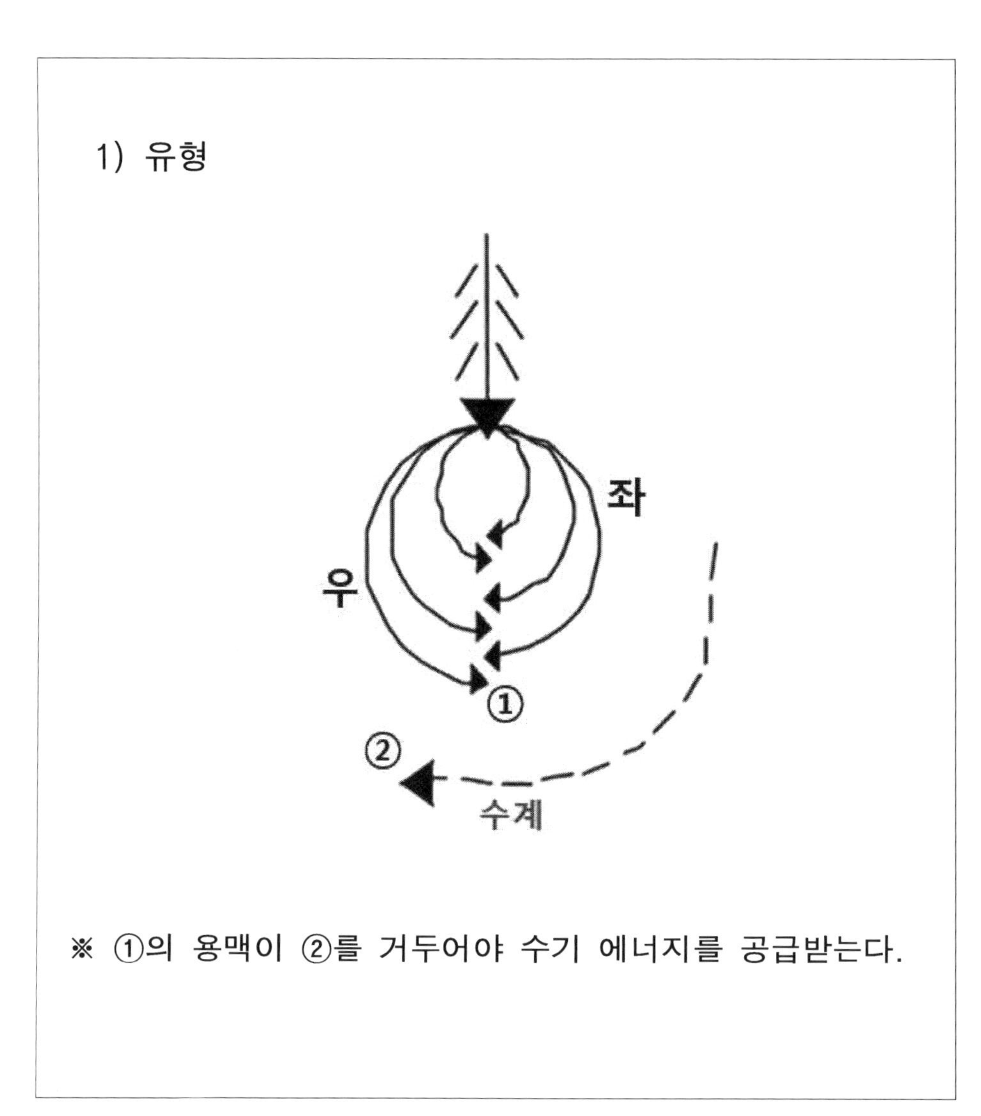

【그림 65】 득수의 형성 질서 체계

2) 유형

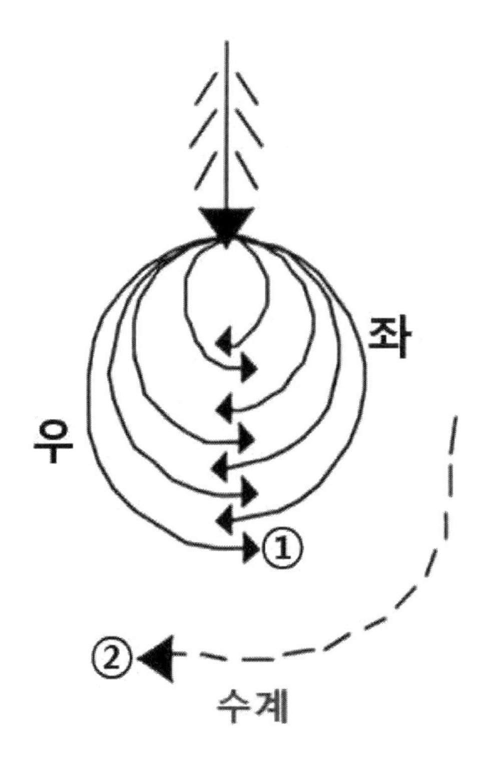

※ ①의 용맥이 ②를 거두는 형태로서 좌우 용맥이 관쇄가 완성될 시 득수는 강하게 형성된다.

【그림 66】 득수의 형성 질서 체계

45. 파구(破口)- 득수(得水) 된 물이 합수되어 나가는 지점으로 합수 지점, 수구(水口)라고도 한다.

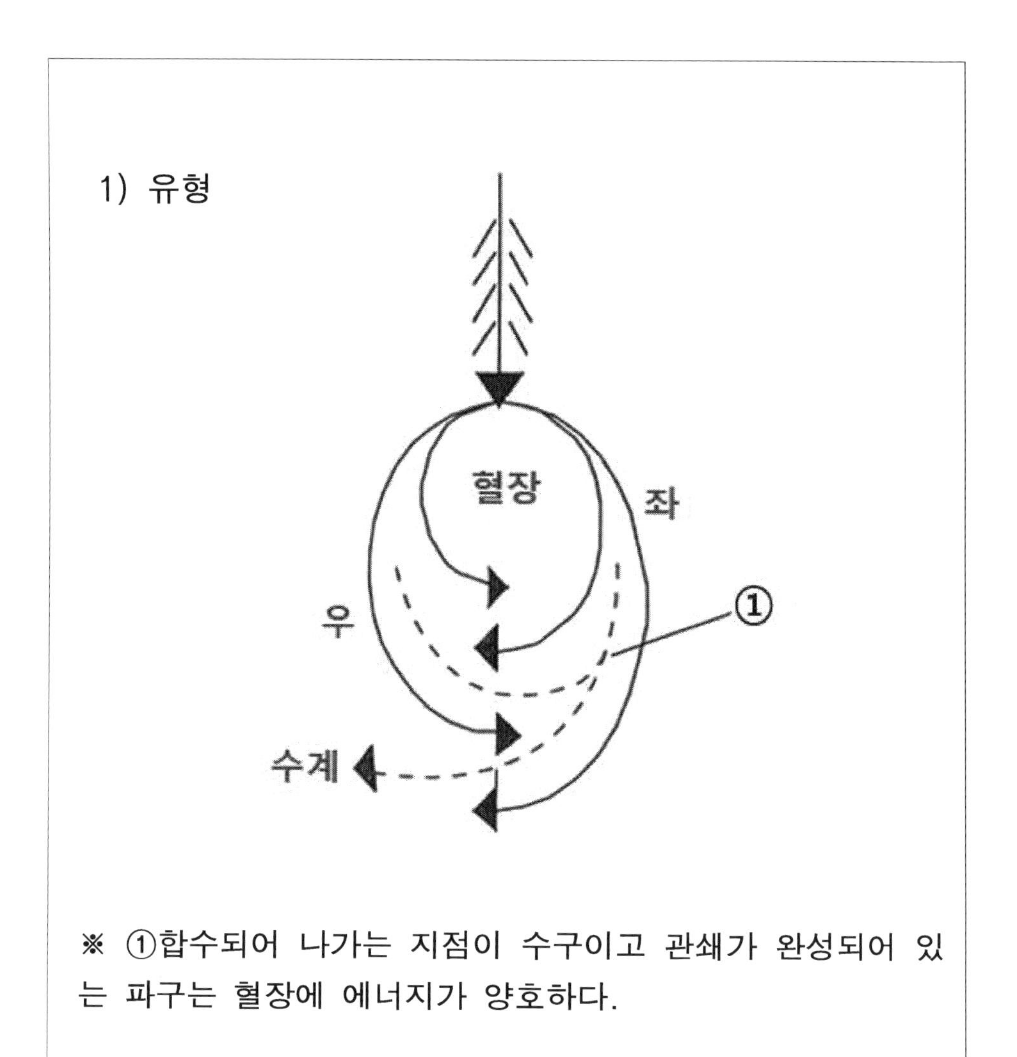

【그림 67】 파구의 형성 질서 체계

46. 만궁수(彎弓水)- 활처럼 감아 도는 물을 말한다. [혈장(穴場)) 앞, 동네 앞]

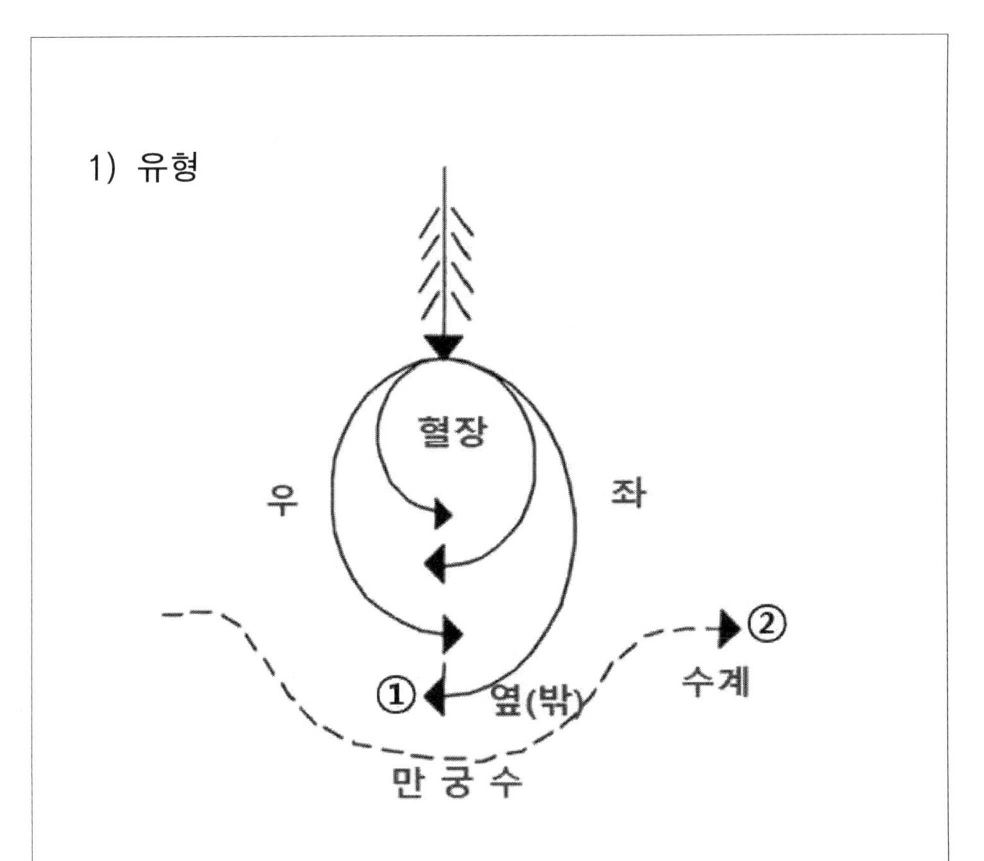

※ 혈장 앞 ①을 수계가 만궁수 형태인 활처럼 감아 돌아 나간다. 그러나 수계가 들어올 때 충이 발생하고 ①의 지점에서 나갈 때 옆구리 지점에서 설기가 형성되어 진다.

【그림 68】 만궁수의 형성 질서 체계

47. 거수(去水)- 혈장이나 마을을 등지고 가는 물을 말한다.

1) 유형

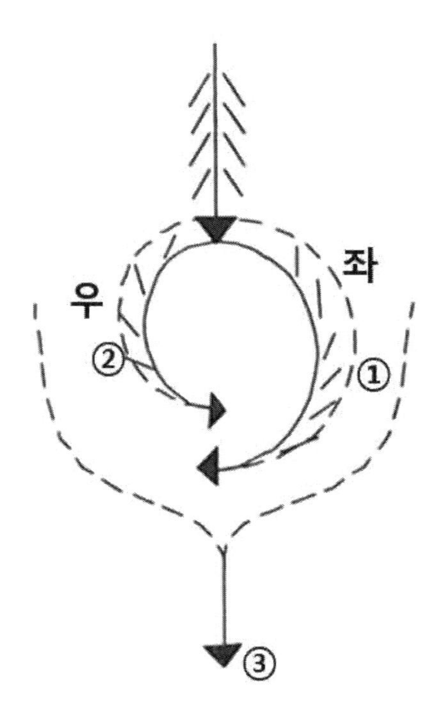

※ ① + ②의 바깥 용맥은 ③의 물이 나가는 형태로 양쪽 외면은 설기 형성되고 점차 혈장에 에너지가 설기 된다.

【그림 69】 거수의 형성 질서 체계

48. 직거수(直去水)- 혈장이나 마을을 등지고 곧게 가는 물을 말한다.

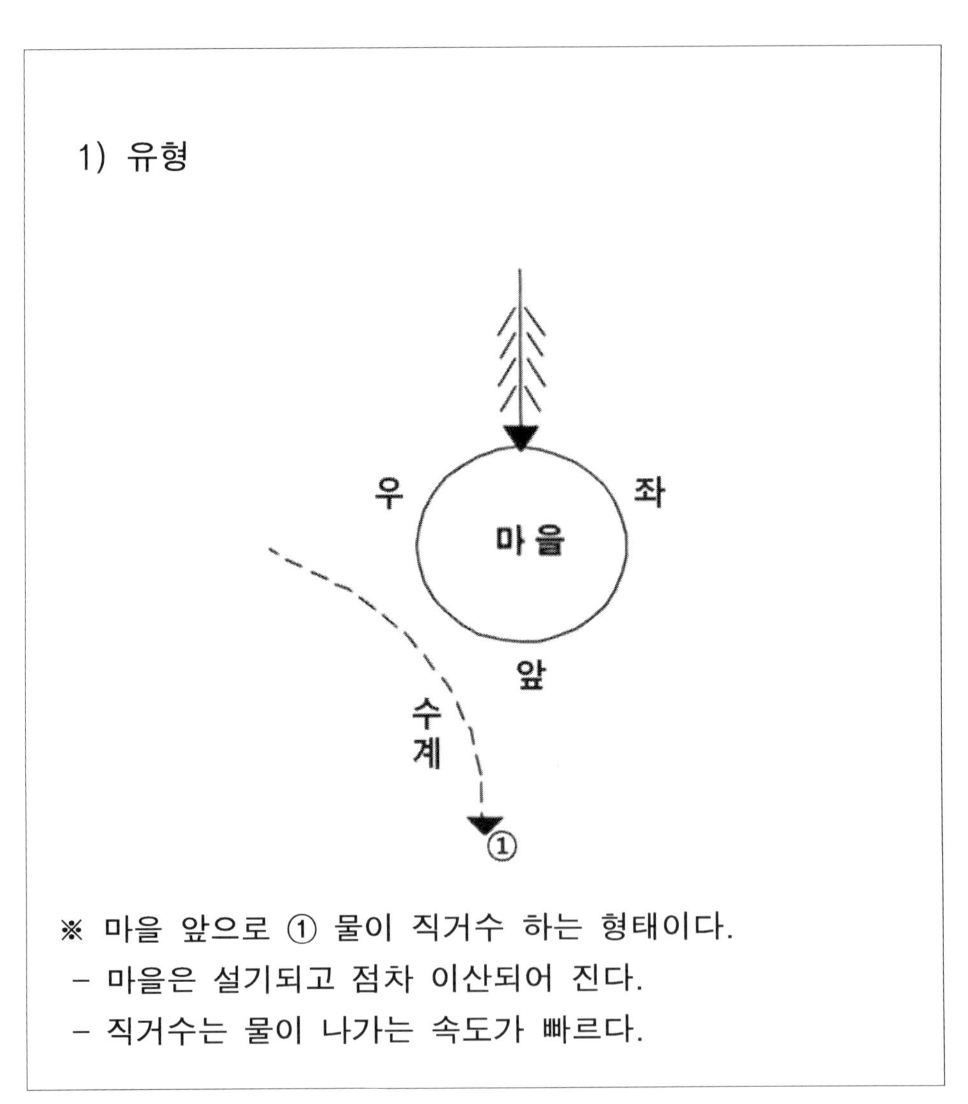

【그림 70】 직거수의 형성 질서 체계

49. 곡거수(曲去水)- 혈장이나 마을을 등지고 구불구불 가는 물을 말한다.

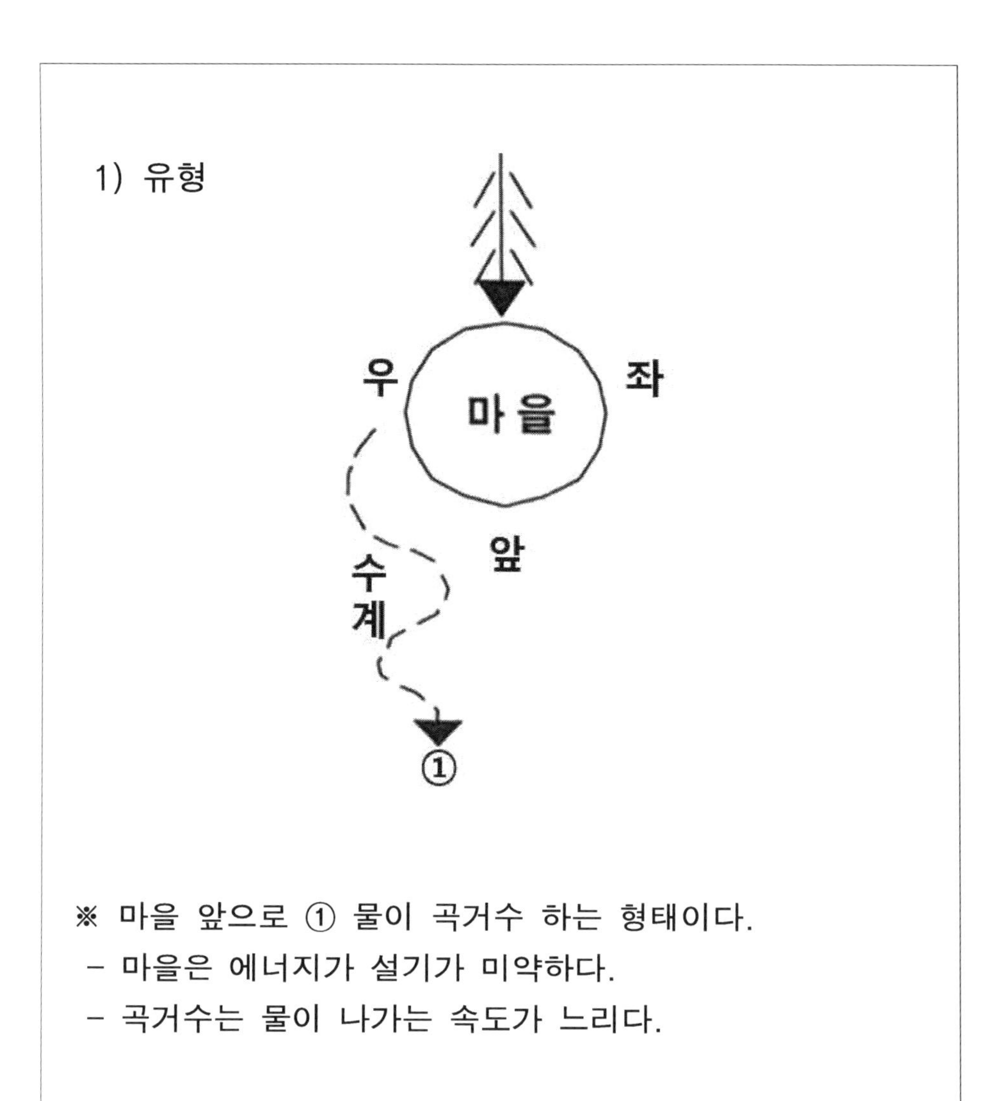

【그림 71】 곡거수의 형성 질서 체계

2) 유형

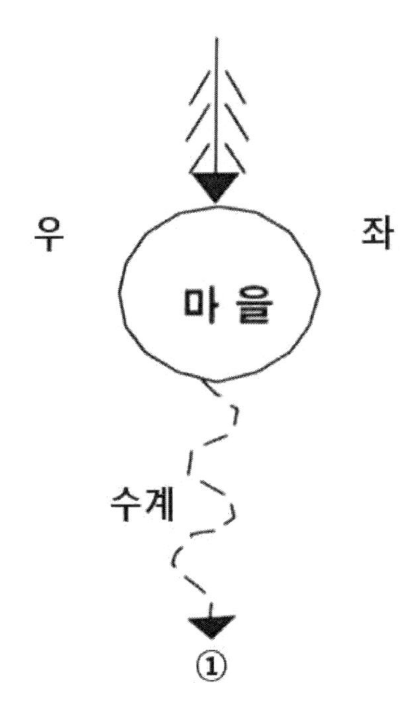

※ 마을에서 마을 앞으로 물이 곡거수 하는 형태이다.
 - 마을은 에너지가 설기가 일어나지만 속도가 느린 것만큼 작게 새어 나간다.

【그림 72】 곡거수의 형성 질서 체계

50. 내수(來水)-혈장이나 마을을 향하여 오는 물을 말한다.

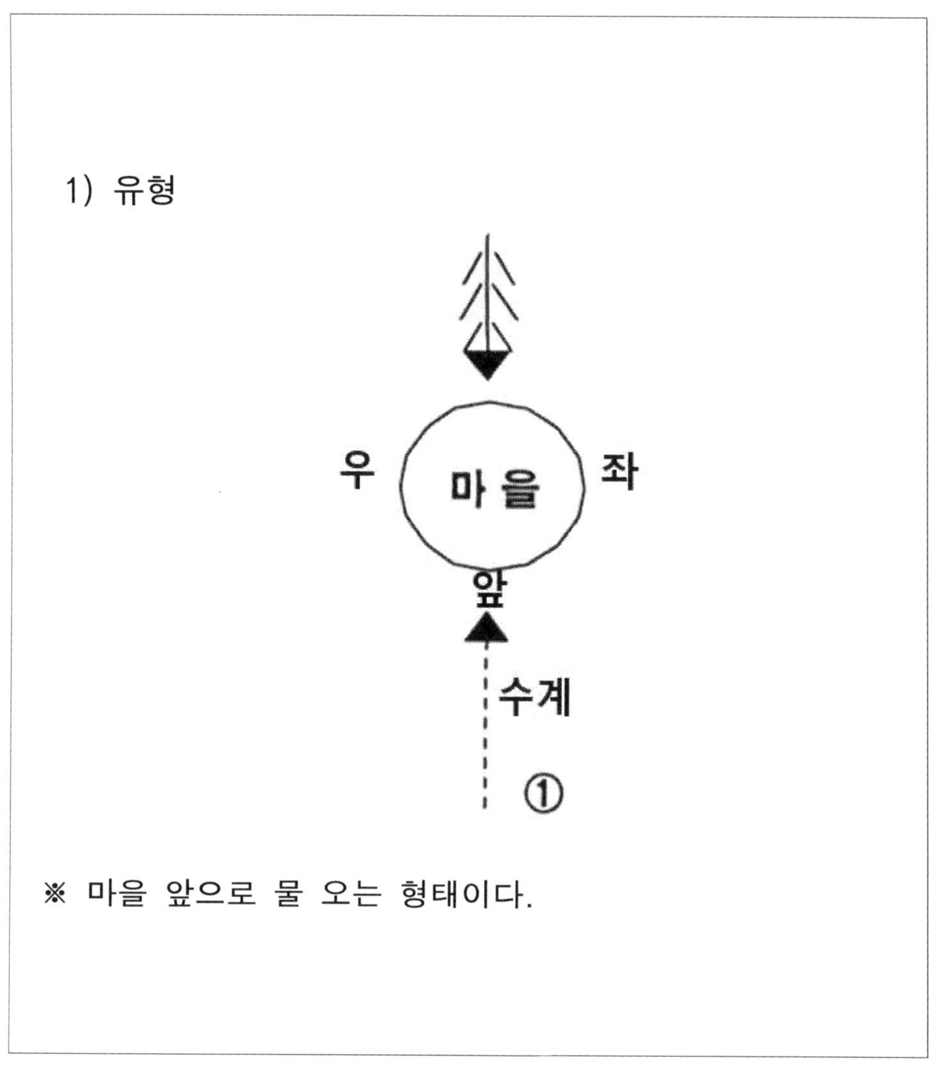

【그림 73】 내수의 형성 질서 체계

51. 직래수(直來水)- 혈장이나 마을을 향하여 곧게 오는 물을 말한다.

1) 유형

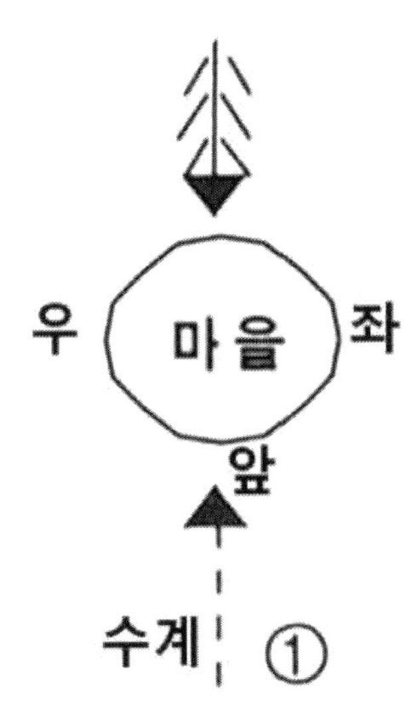

※ 마을 앞으로 곧게 오는 물이고 마을은 흉수가 형성되어 진다.

【그림 74】 직래수의 형성 질서 체계

52. 곡래수(曲來水)- 혈장이나 마을을 향하여 구불구불 오는 물을 말한다.

1) 유형

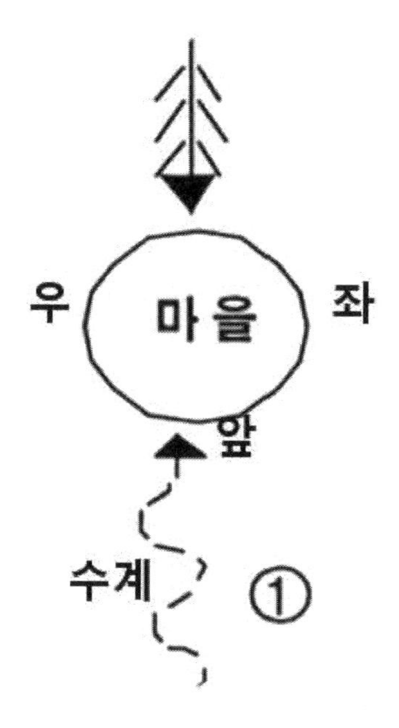

※ 마을 앞으로 곡래수 하는 형태로서 마을은 길수가 형성되어 진다.

【그림 75】 곡래수의 형성 질서 체계

53. 역수(逆水)- 용맥이 물이 흘러가는 방향으로 진행하지 않고 물을 거슬러 거두는 것을 말한다.

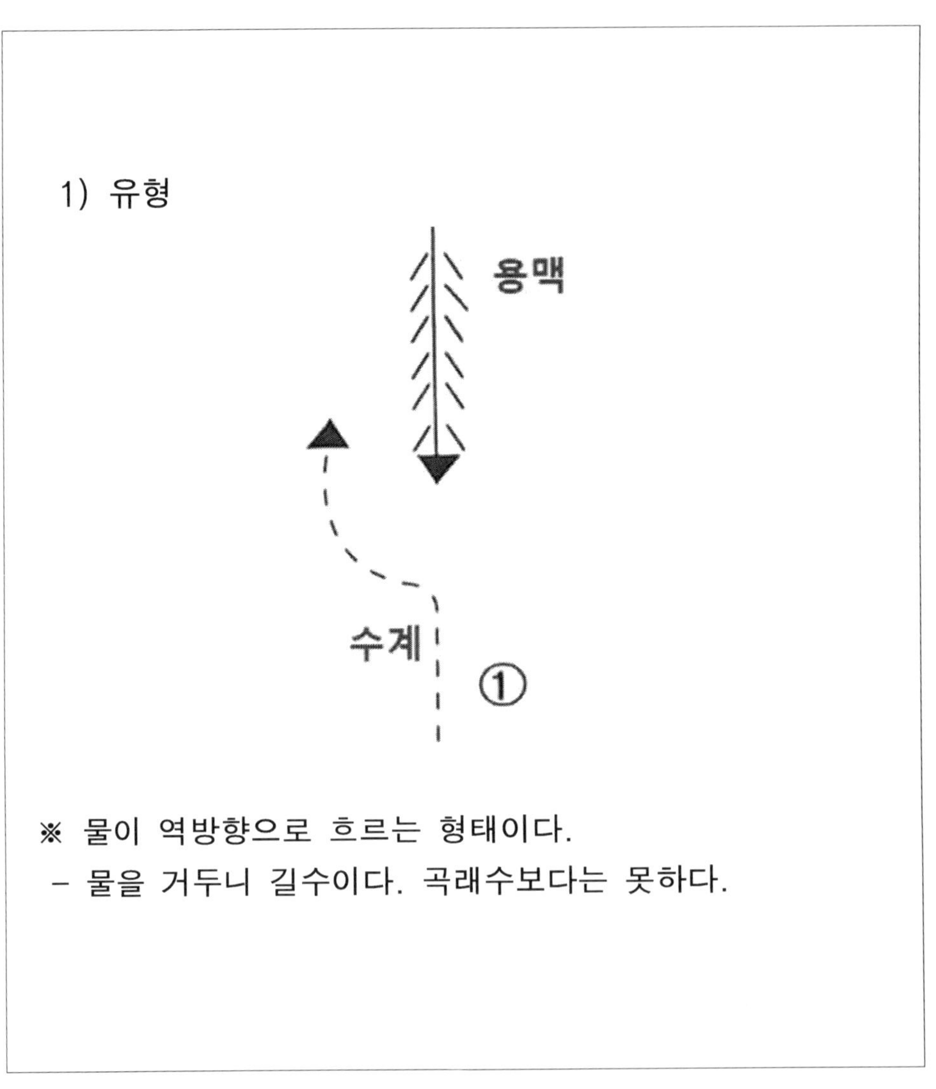

【그림 76】 역수의 형성 질서 체계

54. 산수동거(山水同去)- 용맥(龍脈)이 물이 흘러가는 방향으로 같이 진행하는 것을 말한다.

1) 유형

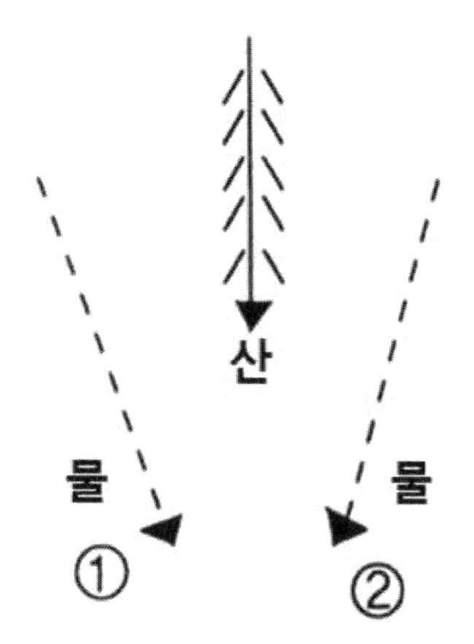

※ 산과 물이 같은 방향으로 진행한다.
- 산은 양쪽 물이 같은 방향으로 진행하여 설기, 이산되어 진다.

【그림 77】 산수동거의 형성 질서 체계

2) 유형

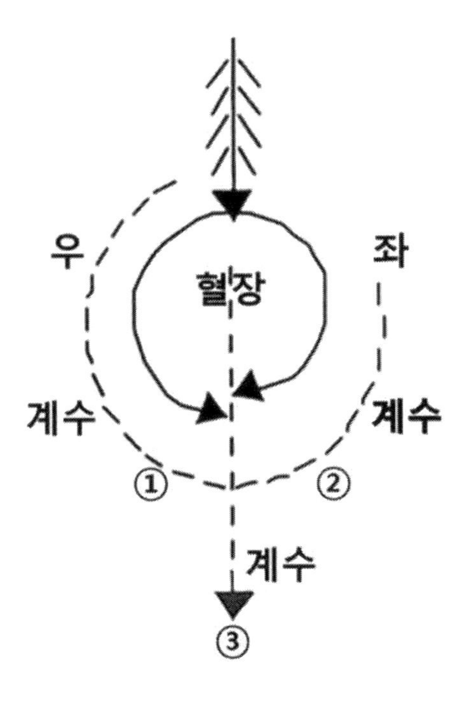

※ 좌우 계수가 혈장 앞에서 만나 곧게 나간다.
- 산수동거이므로 혈장도 설기가 형성된다.

【그림 78】 산수동거의 형성 질서 체계

55. 수세(水勢)- 혈장 주위에 형성되어 있는 물의 짜임새와 역량을 말한다. [大小, 强弱, 善惡]

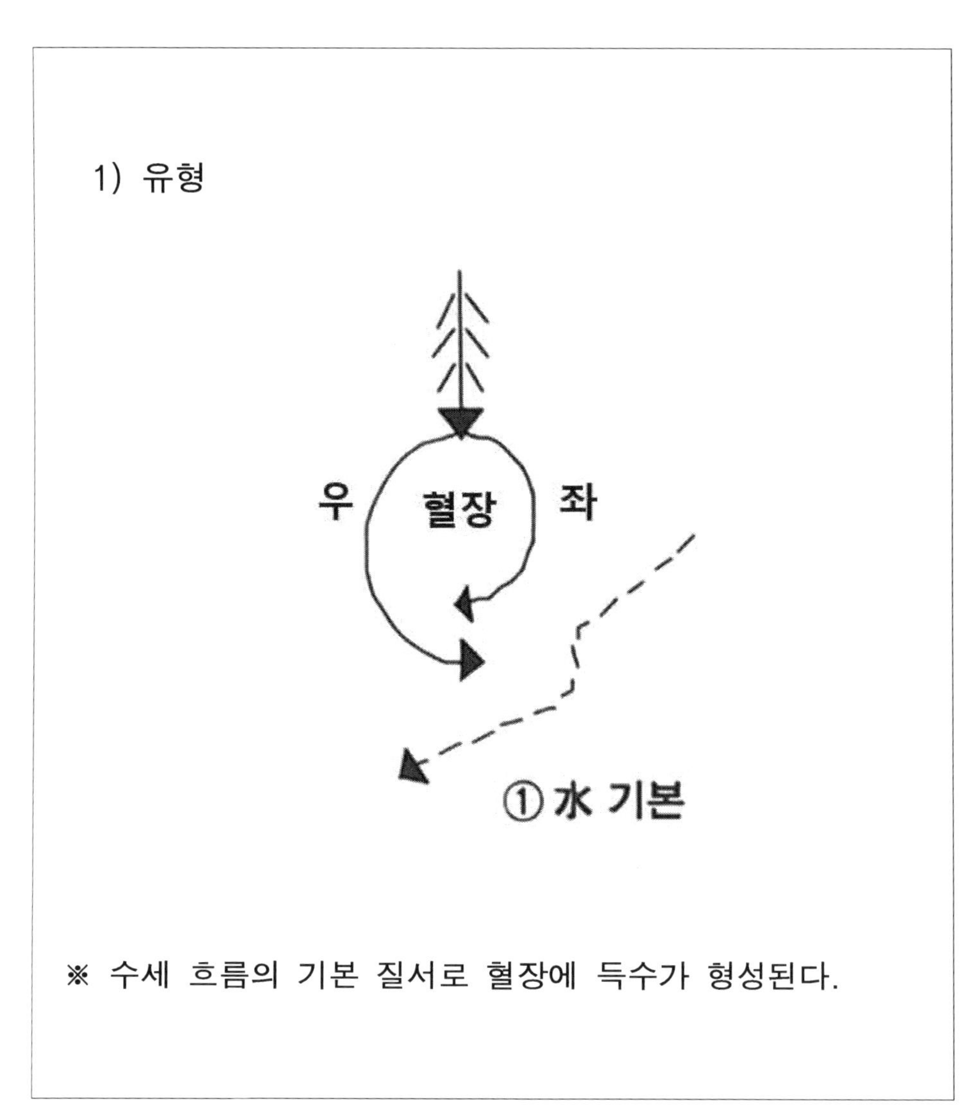

【그림 79】 수세의 형성 질서 체계

2) 유형

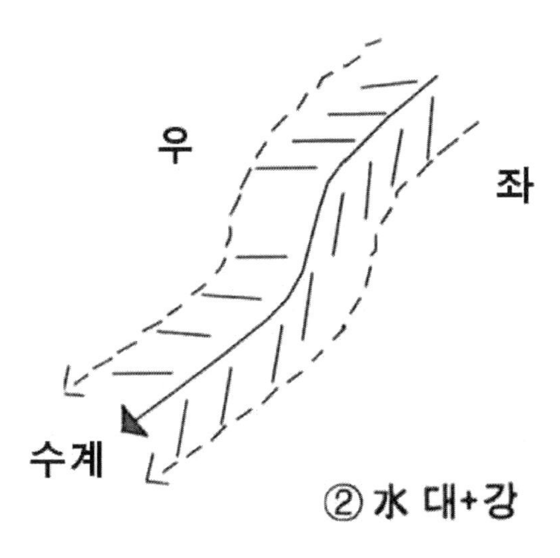

※ 물 흐름이 가운데가 깊고 폭이 넓어지는 형태로 꾸불꾸불해 이동하면 수 에너지가 크고 강하다.

【그림 80】 수세의 형성 질서 체계

3) 유형

※ 물 흐름이 가운데가 얕고 폭이 좁아지는 형태로 꾸불꾸불해 이동하면 수 에너지가 작고 약하다.

【그림 81】 수세의 형성 질서 체계

56. 에너지장(Energy場)- 에너지가 미치는 영향권 내를 이른다. 용맥 또는 자연환경의 울타리를 말한다. [태양은 우주 에너지장 내(內), 자손은 조상 에너지장 내에 있다.]

1) 유형

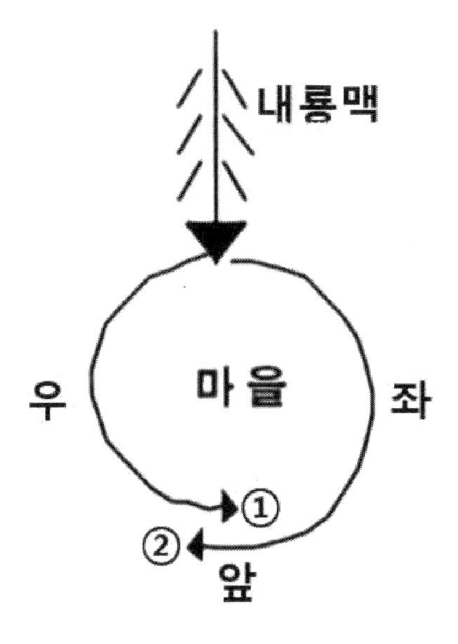

※ 에너지장으로는 마을을 중심으로 좌.우 용맥이 울타리처럼 형성한 것이다.

【그림 82】 에너지장(Energy場) 형성 질서 체계

2) 유형

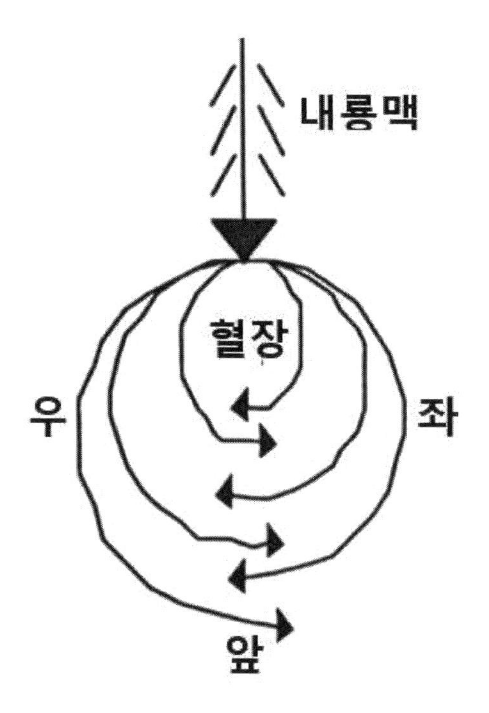

※ 좌우 용맥이 울타리처럼 겹겹이 혈장을 향해 둘러싼 것을 에너지장이라 한다.

- 이러한 에너지장은 선. 미. 강. 대 한다.

【그림 83】 에너지장의 형성 질서 체계

57. 국(局)- 에너지장을 국이라 한다.

1) 유형

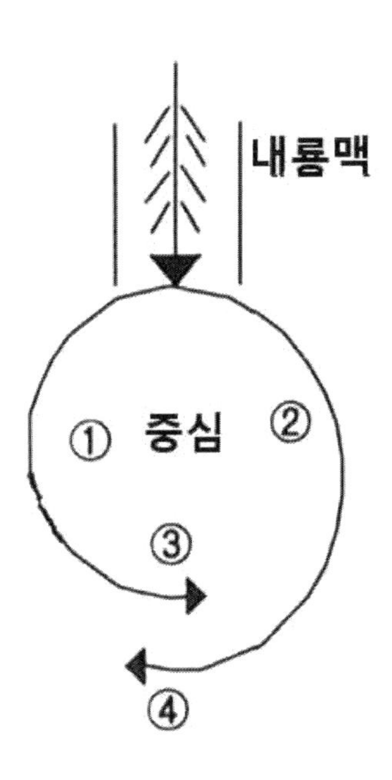

※ 중심을 향해 원형 상태로 형성된 것으로 국이다.

【그림 84】 국의 형성 질서 체계

58. 국세(局勢)- 국(局), 즉 에너지장을 형성하고 있는 짜임새의 역량(力量)을 말한다.

[大小, 强弱, 善惡, 美醜]

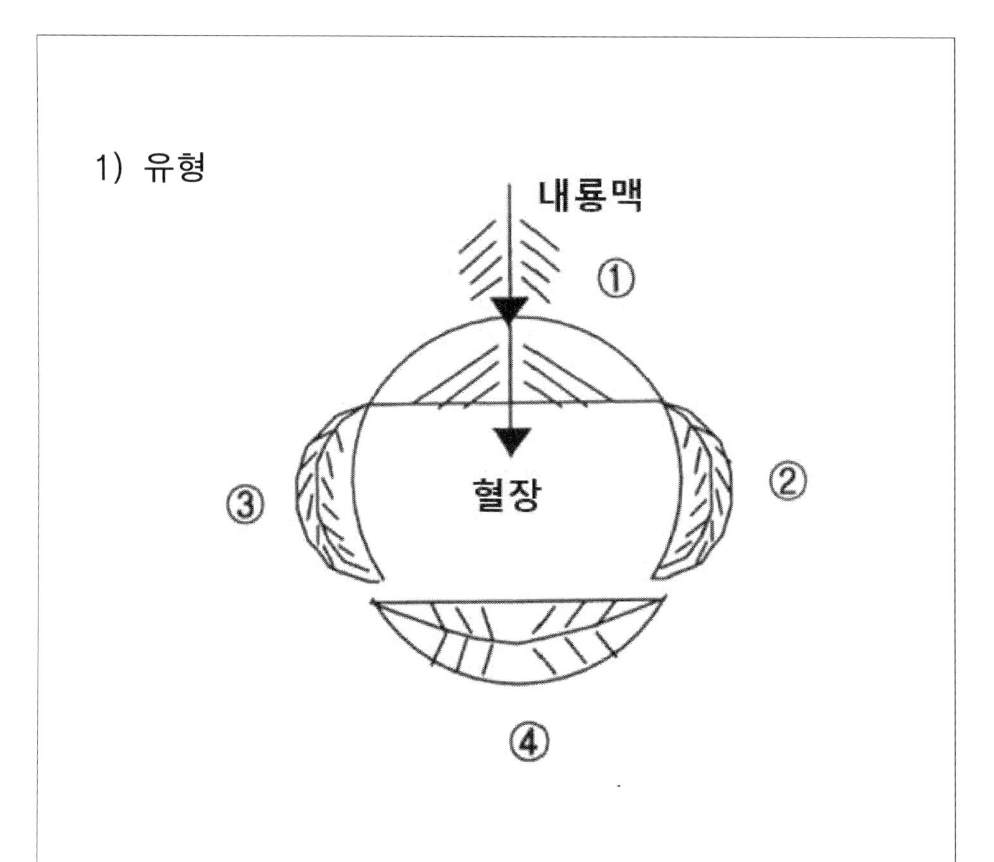

※ 혈장을 향해 ①주산 ②청룡맥 ③백호맥 ④안산맥이 짜임새 있게 형성하는 형태가 국세이다.

【그림 85】 국세의 형성 질서 체계

59. 변역(變易), 변위(變位)- 용맥(龍脈)이 변하여 바뀐다. 용맥이나 물체가 위치를 바꾼다. [에너지 본질의 변화가 없이 그 형체나 위치를 바꾸는 것] 진행용맥이 그 모습과 높낮이와 진행 각도 등을 바꾸는 현상을 변역 또는 변위라고 한다.

1) 유형

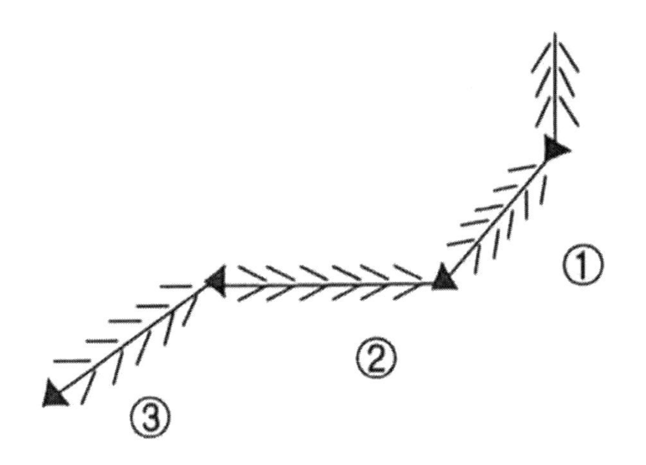

※ ①, ②, ③으로 진행 용맥이 그 모습과 높낮이와 진행 각도 등을 바꾸는 현상을 변역 또는 변위한다.

- 진행 시 각도와 방향은 다양하나 변위 각은 30°, 60°, 90°, 180°가 정변역이고 이외 각도는 부정 변역이다.

【그림 86】 변역, 변위의 형성 질서

60. 응기(應氣)- 보호사(保護砂)들이 혈장에 에너지 수수(授受) 작용하는 것을 말한다.

[에너지 응기(應氣) 각도 30°, 60°, 90°, 180° 방향에 동조(同調) 응기]

1) 유형

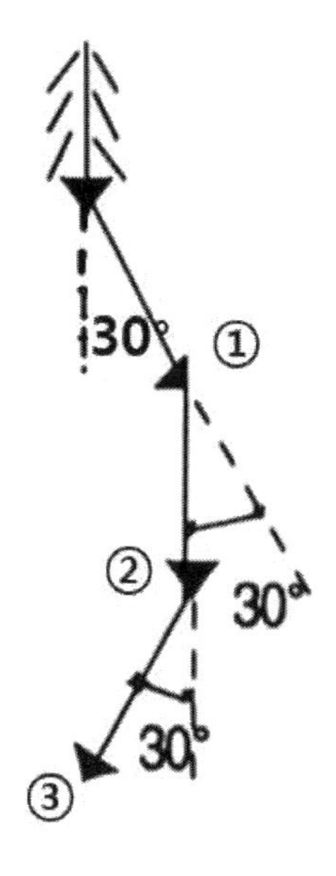

※ ①, ②, ③으로 변위 각으로 변역하는 보호사 질서는 수수작용을 하는 응기 용맥이다. 이를 동조하는 에너지 응기라 한다.

- 이러한 용맥의 변역은 선, 미, 대, 강하다.

【그림 87】 응기의 형성 질서

2) 유형

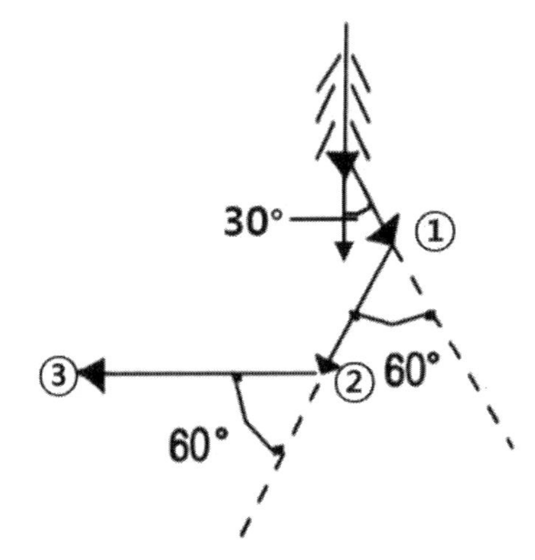

※ ①은 30° 변역하다가 ②는 60° 변역하고 ③은 60° 변역하였다.

- 이러한 용맥의 변역은 선, 미, 대, 강하다.

【그림 88】 응기의 형성 질서

3) 유형

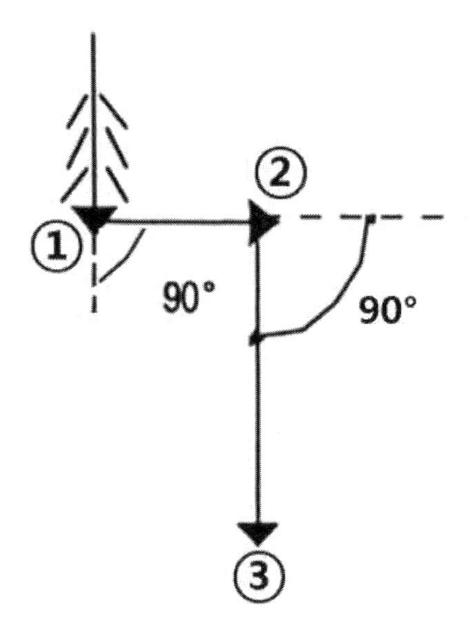

※ ①의 용맥이 ②로 변역하다가 ③으로 변역하였다.
- 이러한 용맥의 변역은 선, 미, 대, 강하다.

【그림 89】 응기의 형성 질서

4) 유형

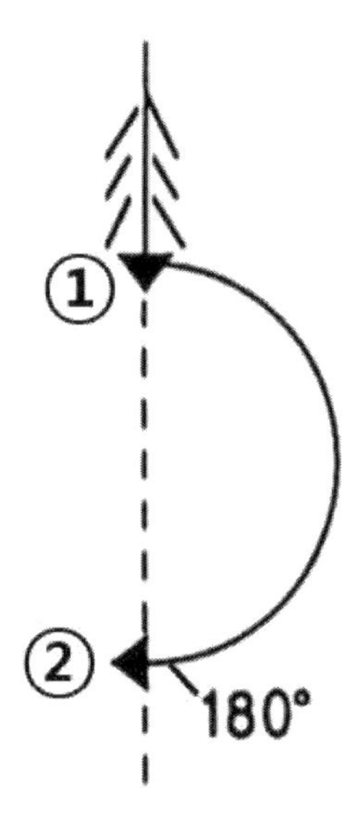

※ ①의 에서 ②로 변역하였다.
- 이러한 용맥의 변역은 선, 미, 대, 강하다.

【그림 90】 응기의 형성 질서

5) 유형

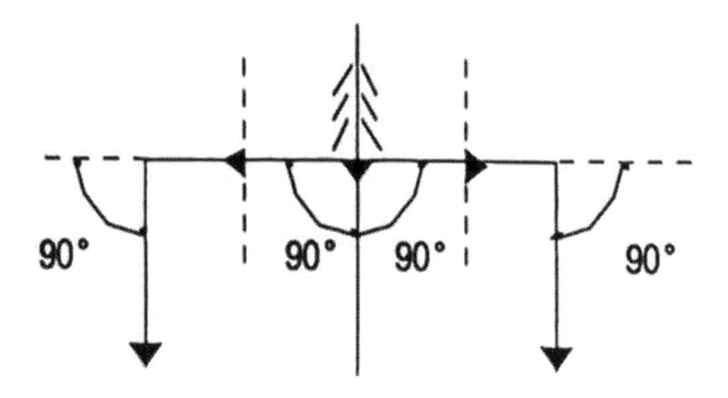

※ 90° 각도로 변역하였다.
- 이러한 용맥의 변역은 선, 미, 대, 강하다.

【그림 91】 응기의 형성 질서

61. 응축(凝縮)- 에너지가 모여서 엉켜 압축(壓縮)이 일어나는 현상을 이른다.

[혈장(穴場), 혈심(穴心)]

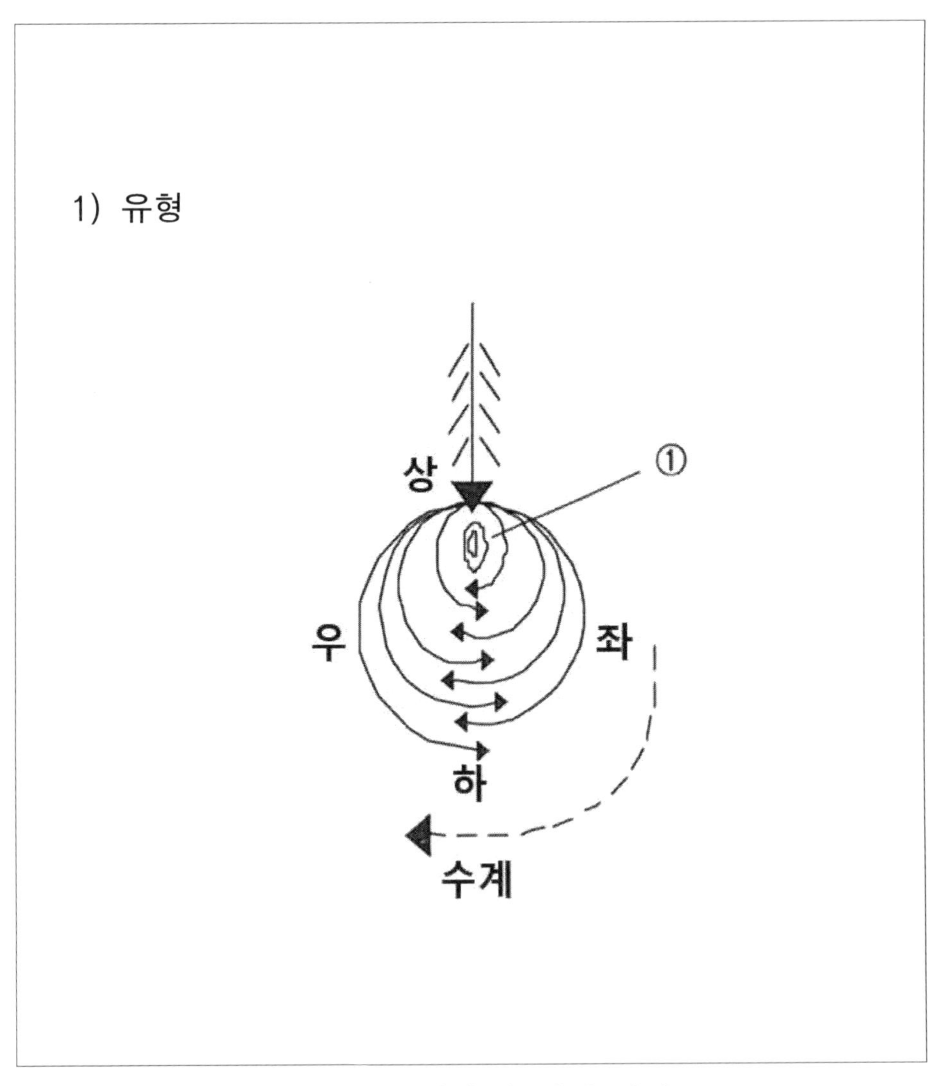

【그림 92】 응축의 형성 질서

62. 취기(聚氣)- 에너지가 이동하다가 모이는 현상을 이른다.

[조종산(祖宗山)과 입수두뇌(入首頭腦)]

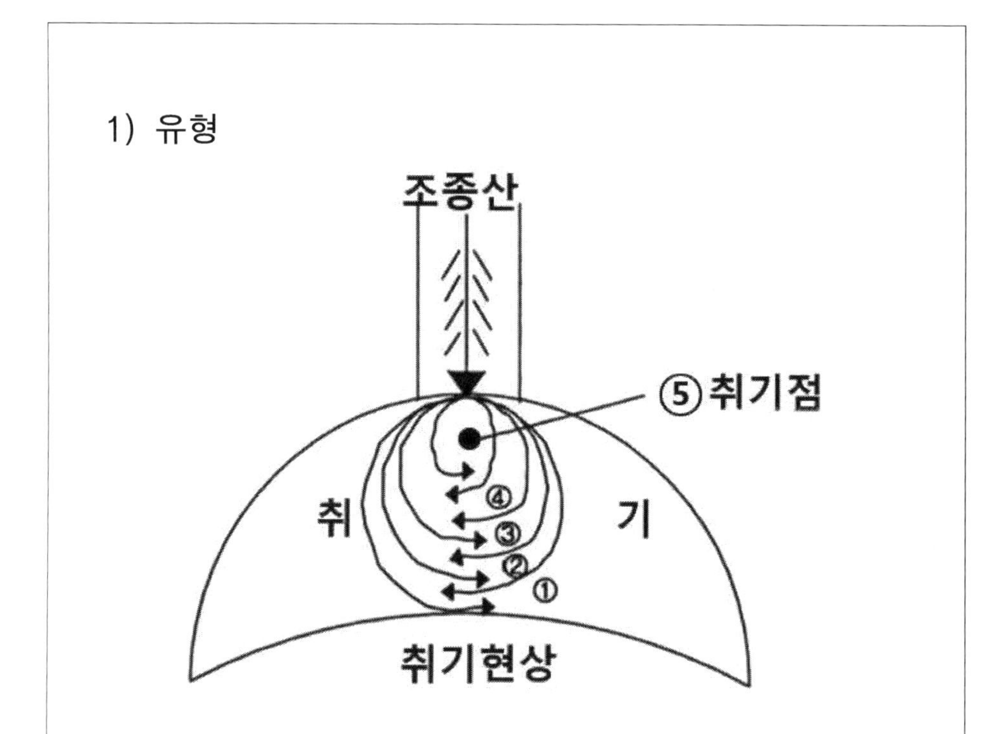

※ 취기가 일어나는 현상으로 ⑤취기점은 취돌(聚突)되어 정돌(正突)하여 진다.

- 이는 조종산 전체 입체 형성 시 취기, 취돌하여야 정돌하다.

【그림 93】 취기의 형성 질서

63. 배합룡맥(配合龍脈)- 음양(- +)이 균형(均衡)있게 정상 화합(化合)으로서 생명력이 있는 선성(善性)의 용맥을 말한다.

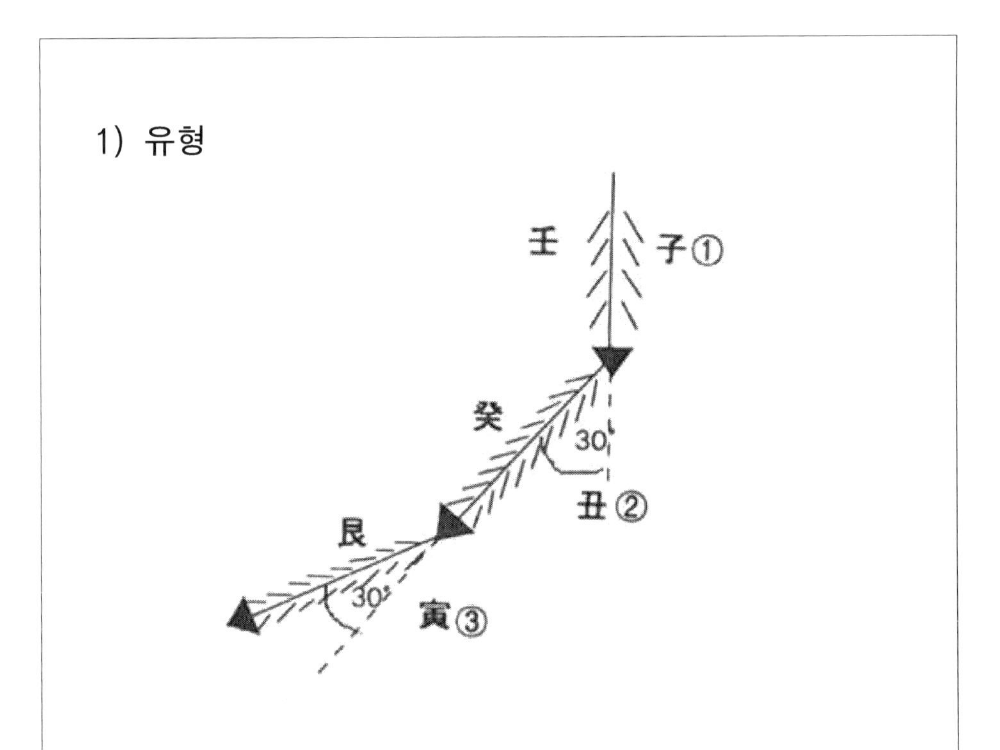

※ 용맥이 이동 변역 시 30° 각도로 ①, ②, ③의 형태로 이동하여야 정돌하고 균형 있게 평등하여 유지하는 생명력이 발생한다.

- 이러한 용맥이 선, 미, 대, 강하고 음양이 배합된 배합룡이다.

【그림 94】 배합룡의 형성 질서

64. 생룡맥(生龍脈)- 위의 배합룡맥을 생룡맥이라고 한다. 음양(-,+)이 균형되어 생명력이 있는 선성의 용맥을 말한다 (5변역 법칙 질서를 얻음)

1) 유형

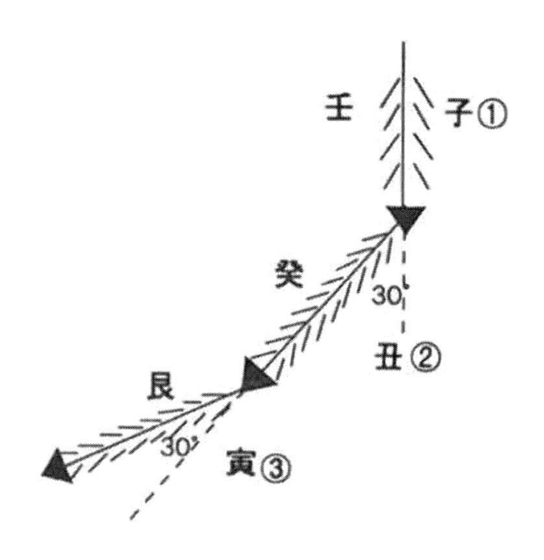

※ ①의 임자에서 ②의 계축으로 ③의 간인으로 이동하였고, 30°의 각도로 변역한 것은 안정된 각도로서 배합룡맥이며 이를 생룡맥이라고 한다.

【그림 95】 생룡의 형성 질서

65. 무기룡맥(無記龍脈)- 불배합룡맥을 무기룡맥이라 한다. 음양(-,+)이 불균형하여 생명력을 잃은 용맥, 악성(惡性)의 용맥을 말한다.

[오변역(五變易)법칙 질서를 얻지 못함]

1) 유형

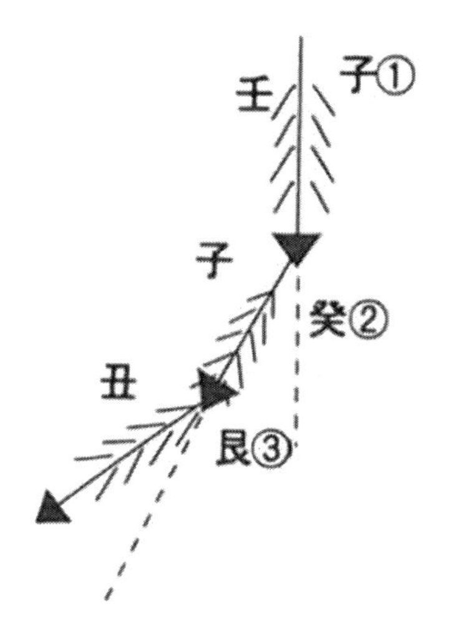

※ ①의 임자에서(생룡맥) ②의 자계(무기룡맥) ③의 축간으로 (무기룡맥) 이동하였고, 30°의 각도로 음양(－,＋)이 이탈한 각도로서 불균형하여진 불배합 용맥이며 이를 무기룡맥이라고 한다.

【그림 96】 무기룡의 형성 질서

66. 병룡맥(病龍脈)- 단멸현상(斷滅現象)으로 나타난 끝이 패여 무너지거나 끊어져 멸망한 상태의 용맥을 말한다. [악성(惡性)]

1) 유형

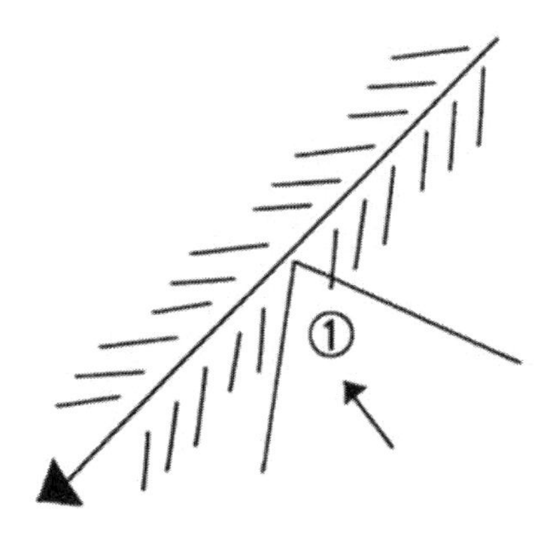

※ 용맥에서 ①의 유형처럼 끝이 패여 무너지는 것을 병룡맥이라 한다.

【그림 97】 병룡의 형성 상태

2) 유형

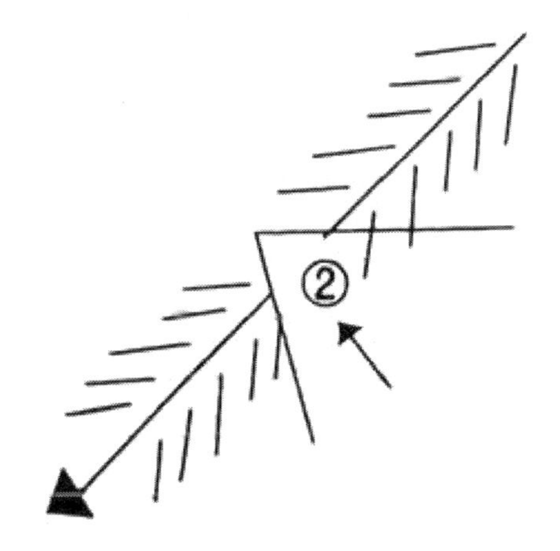

※ –용맥에서 ②의 유형처럼 끊어져 무너지고 멸망하는 것을 병룡맥이라 한다.

【그림 98】 병룡맥의 형성 상태

67. 사룡맥(死龍脈)- 용맥이 전혀 움직임이 없는 끊어진 상태를 말한다. [악성(惡性)]

1) 유형

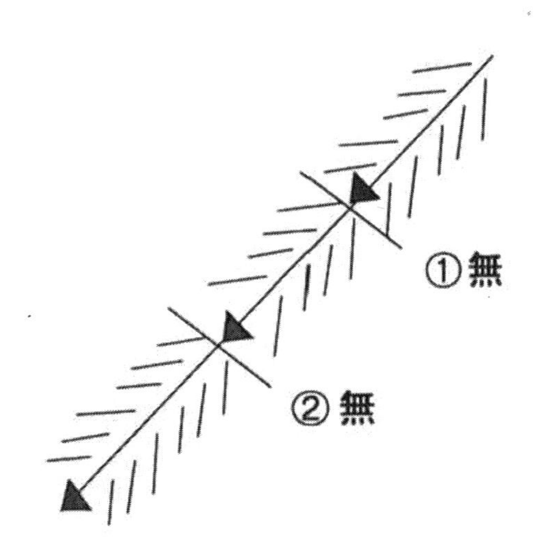

※ 용맥 중에서 ①과 ②의 지점에 움직임이 없거나, 끊어지거나 괴멸(壞滅)된 상태로써 에너지체가 이어지지 않은 유형의 것을 사룡맥이라 한다.

【그림 99】 사룡의 형성 상태

68. 면(面)- 용맥(龍脈)과 사(砂)의 앞쪽을 말한다.

1) 유형

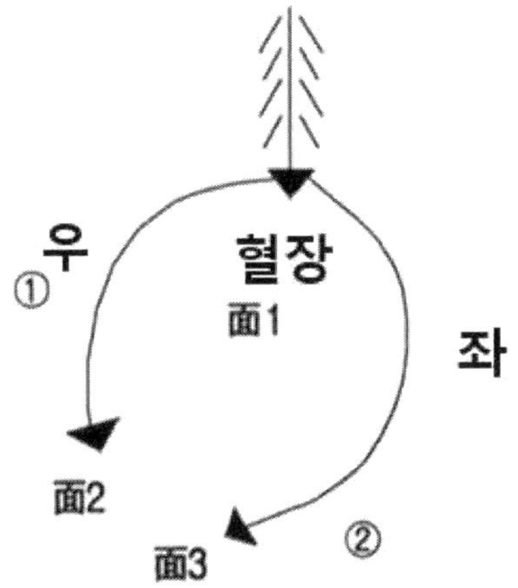

※ 면은 앞쪽 위치를 뜻한다.

【그림 100】 면의 형성 상태

69. 배(背)- 용맥과 사(砂)의 뒤쪽을 말한다.

1) 유형

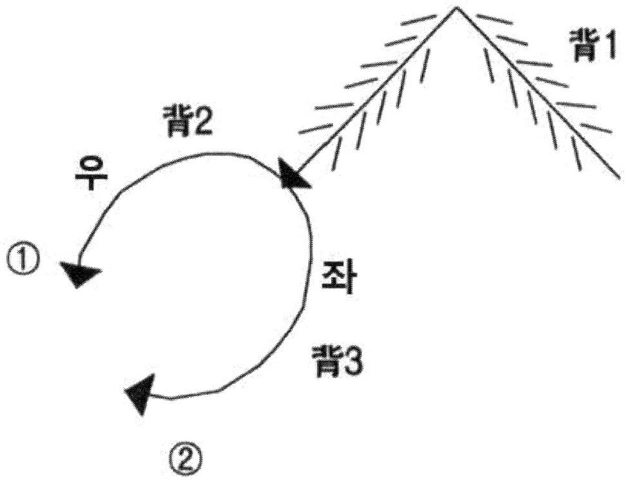

※ 배는 바깥쪽이나 뒤쪽을 의미한다.

【그림 101】 배의 형성 상태

70. 배역(背逆)- 혈장을 등지고 있는 용맥과 사(砂)를 말한다.

1) 유형

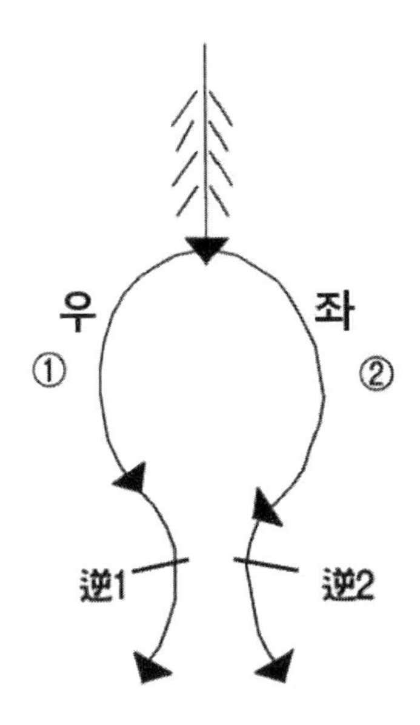

※ 배역은 배반, 반배, 배주라고도 한다.
- 역1, 역2 위치에서 등지고 나가는 형태이다.

【그림 102】 배역의 형성 상태

71. 배역주(背逆走)- 혈장을 등지고 가는 용맥과 사(砂)를 말한다.

1) 유형

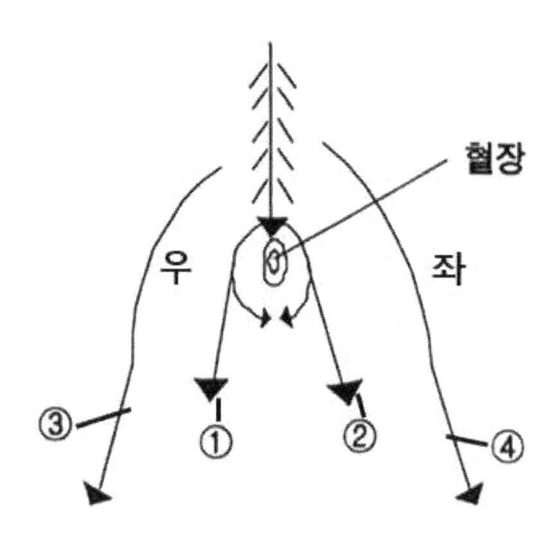

※ ①, ②, ③, ④ 위치에서 등지고 가는 형태이다.

【그림 103】 배역주의 형성 상태

72. 역장(逆葬)- 조상의 묘(墓)를 위쪽이나 먼저 쓴 묘의 위쪽에 다른 묘를 쓰면 안된다는 일부 가문(家門)의 관습(慣習)에서 나온 말이다.

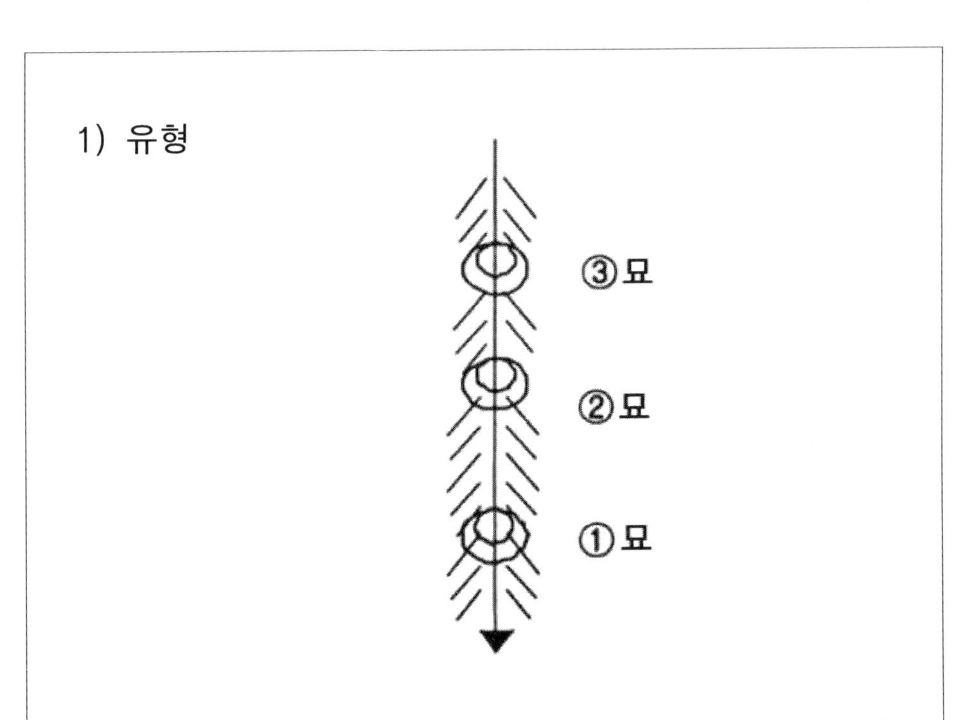

※ ①묘 위치에서 조상을 먼저 안장하고, ②묘 위치에 아랫자손 또는 후손이 다시 안장하고, ③묘 위치에 다시 아랫자손 또는 후손이 안장하는 경우를 의미하였다.

- 우리나라 가문(家門)의 관습(慣習)이나 상례(尙禮)의 예법을 중히 여기고 숭상(崇尙)함에서 일부 역장을 꺼리는 사례가 있다. 이를 역장으로 빗대어 전래 되었다.

- 이와는 반대로 산 위쪽에서 안장을 시작(선조 묘소)하여 아래쪽으로 순차적으로 아래 후손을 안장하는 방식은 순장(順葬)이라고 한다.

【그림 104】 역장의 형성 상태

73. 역순안장(逆順安葬)- 산의 이동 방향을 불식(不識)하고 위쪽인 줄 인식하여 안장하는 경우이다.

1) 유형

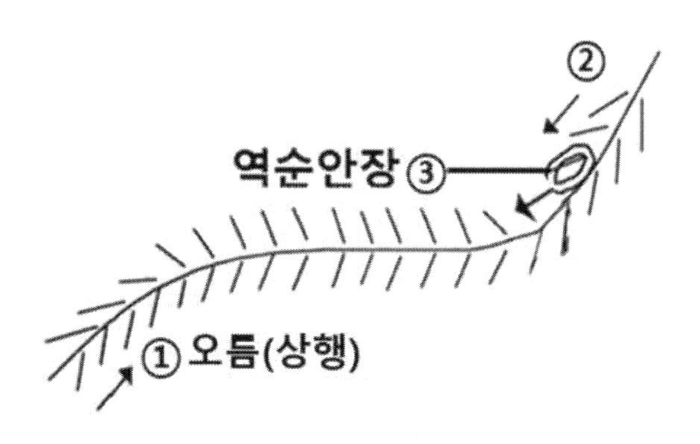

※ 산이 ①과같이 오르는데(상행) ②와 같이 내리는(하행) 줄 인식하고 ③와 같이 안장하는 경우이다. 역순안장이 되는 경우이다. 이는 산 진행 기준(이동 방향)이 필수이다.
- 역순 안장은 흉(凶)해 진다.

【그림 105】 역순 안장의 형성 상태

74. 계장(繼葬)- 한 혈장 내 또는 한 등성이에 가까이 여러 묘를 쓰는 것을 말한다.

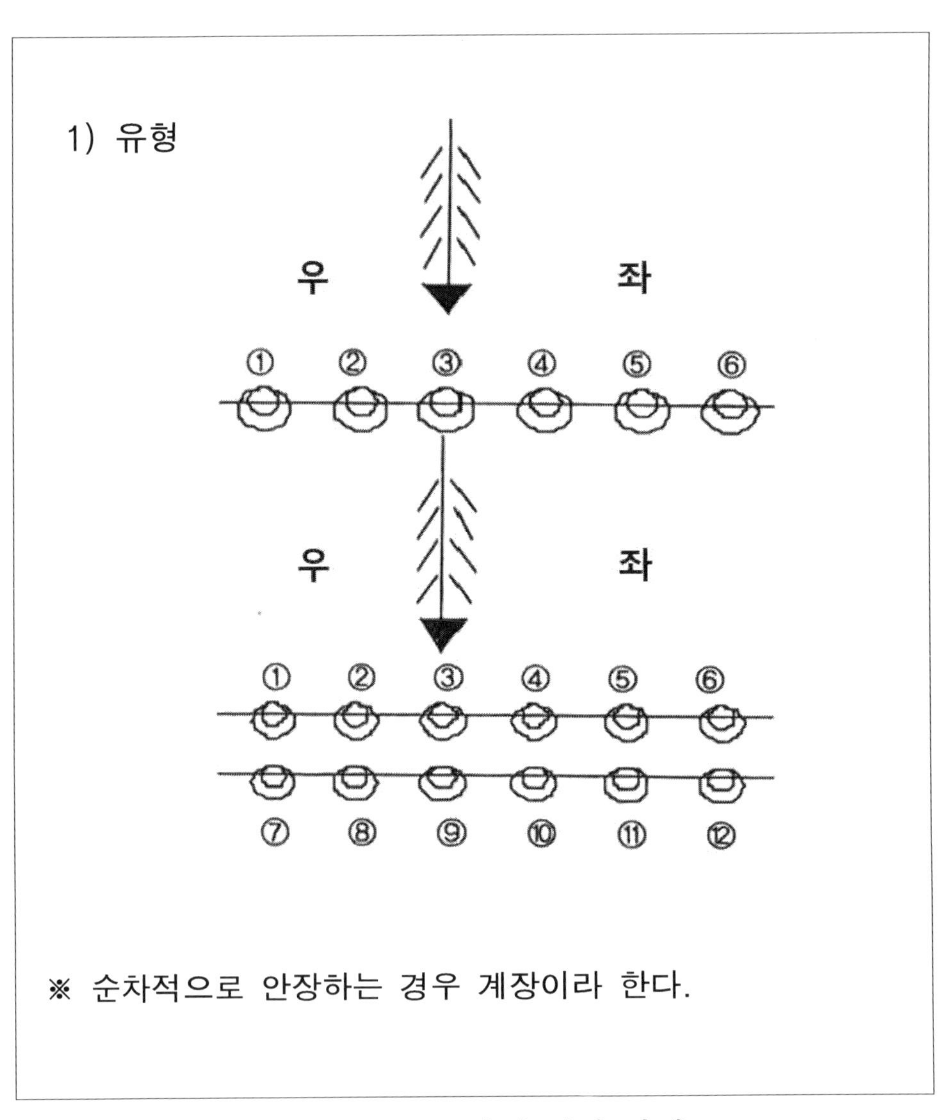

【그림 106】 계장의 형성 상태

75. 입수두뇌(入首頭腦)- 혈장 바로 뒤의 에너지 취기점(聚氣占)이며, 약간 두툼한 부분으로서 바위가 노출된 것도 있다. 혈심을 보호하고 에너지를 직접 공급한다. [수기(水氣)]

1) 유형

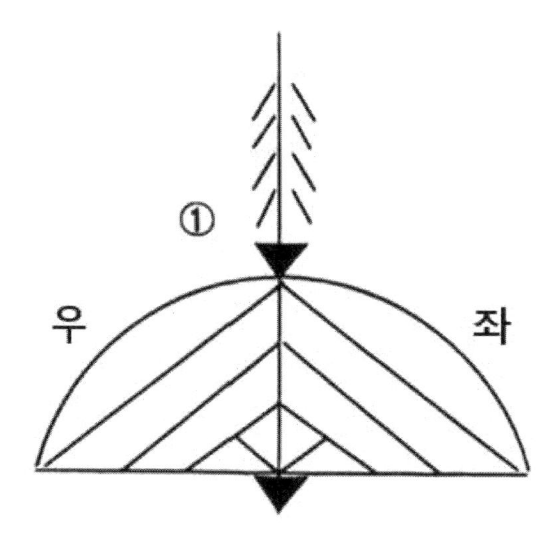

※ 입수두뇌는 매우 중요하고 정중심하여 에너지 입력점을 선정하여야 한다.(땅속 에너지 입력점 기준할 것)

【그림 107】 입수두뇌의 형성 질서 체계

76. 청룡선익(靑龍蟬翼)- 입수두뇌(入首頭腦)로부터 혈심(穴心)의 왼쪽을 두툼하게 감싸고 있는 부분으로서 석질(石質)이 노출된 것도 있다. 혈심을 보호하고 에너지를 직접 응축(凝縮)시킨다. [목기(木氣)]

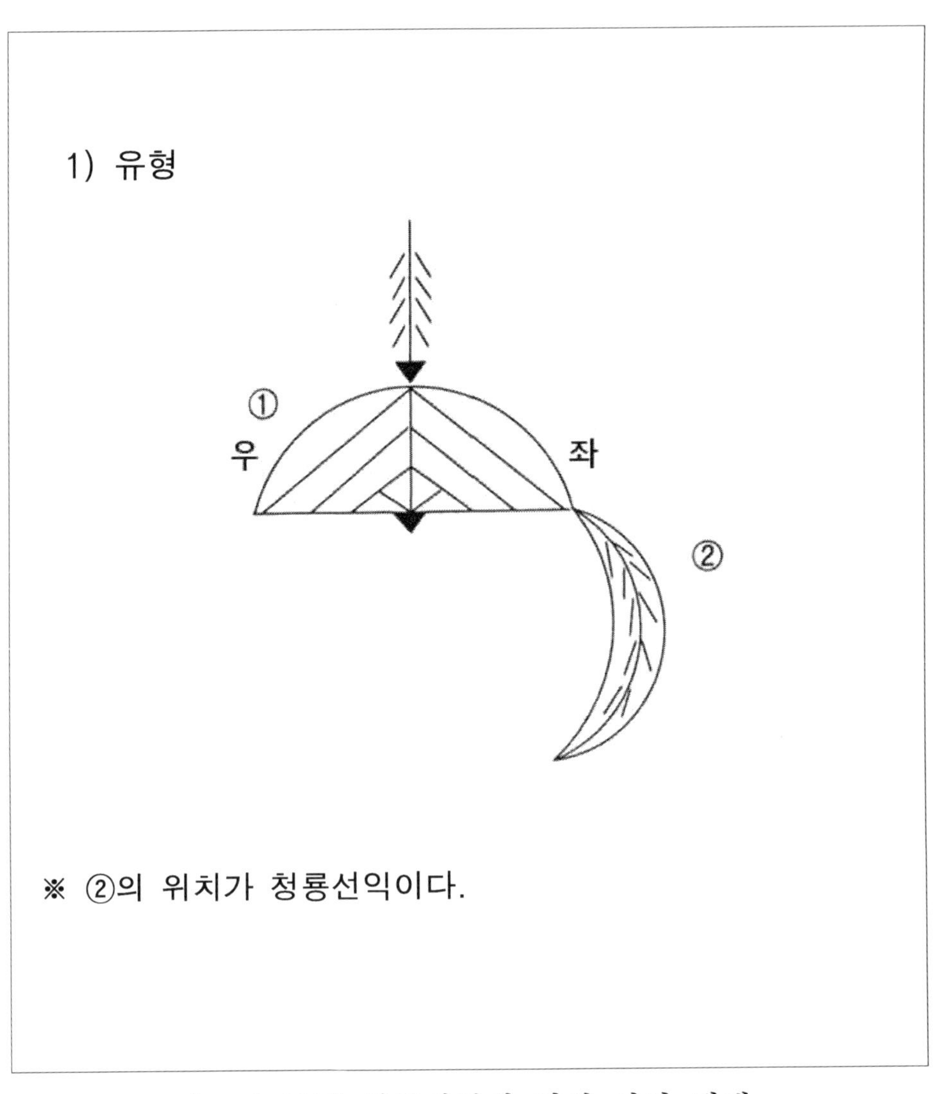

【그림 108】 청룡선익의 형성 질서 체계

77. 백호선익(白虎蟬翼)- 입수두뇌(入首頭腦)로부터 혈심의 오른쪽을 두툼하게 감싸고 있는 부분으로서 석질이 노출된 것도 있다. 혈심을 보호하고 에너지를 직접 응축(凝縮)시킨다.[금기(金氣)]

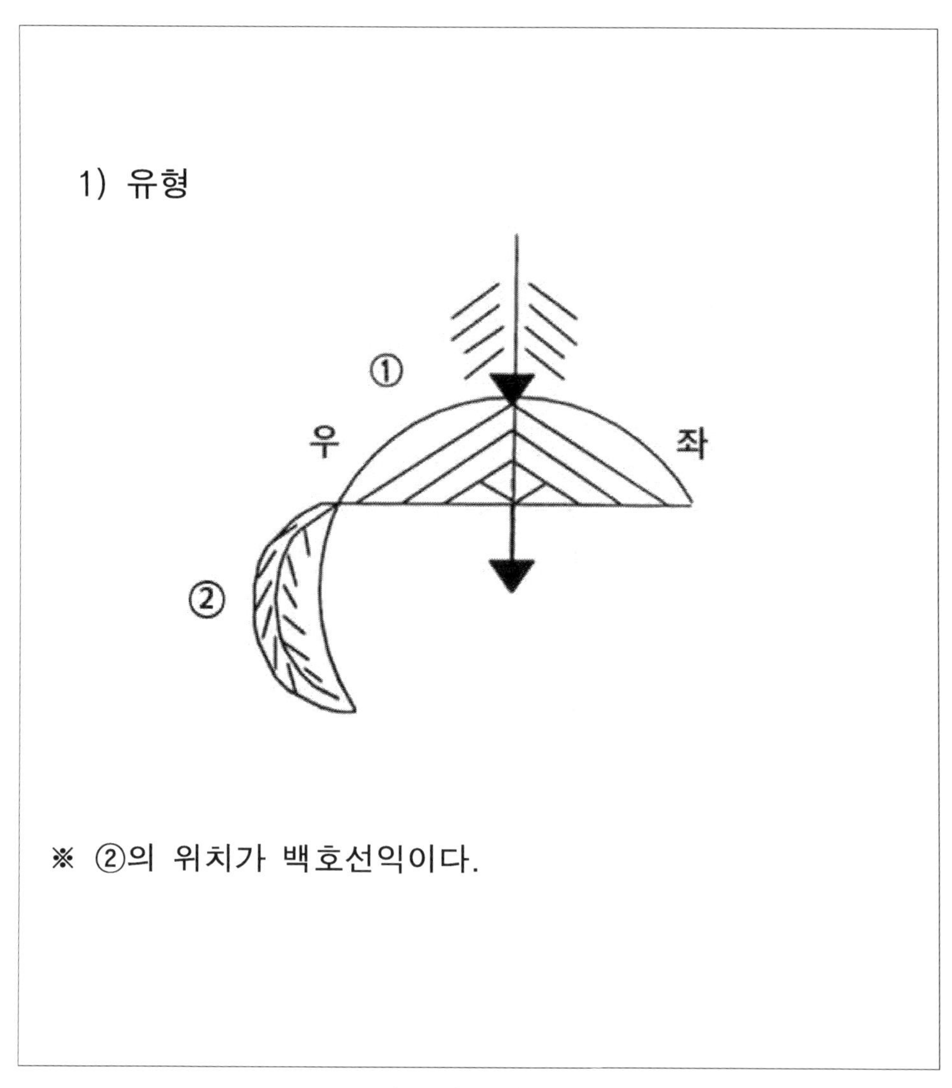

【그림 109】 백호선익의 형성 질서 체계

78. 전순(前脣, 氈脣)- 혈심 바로 앞을 두툼하게 감싸고 있는 부분으로서 석질(石質)이 노출된 것도 있다. 혈심을 보호하고 에너지를 직접 응축(凝縮)시킨다. 전순(氈脣), 전순(纏脣) [화기(火氣)]

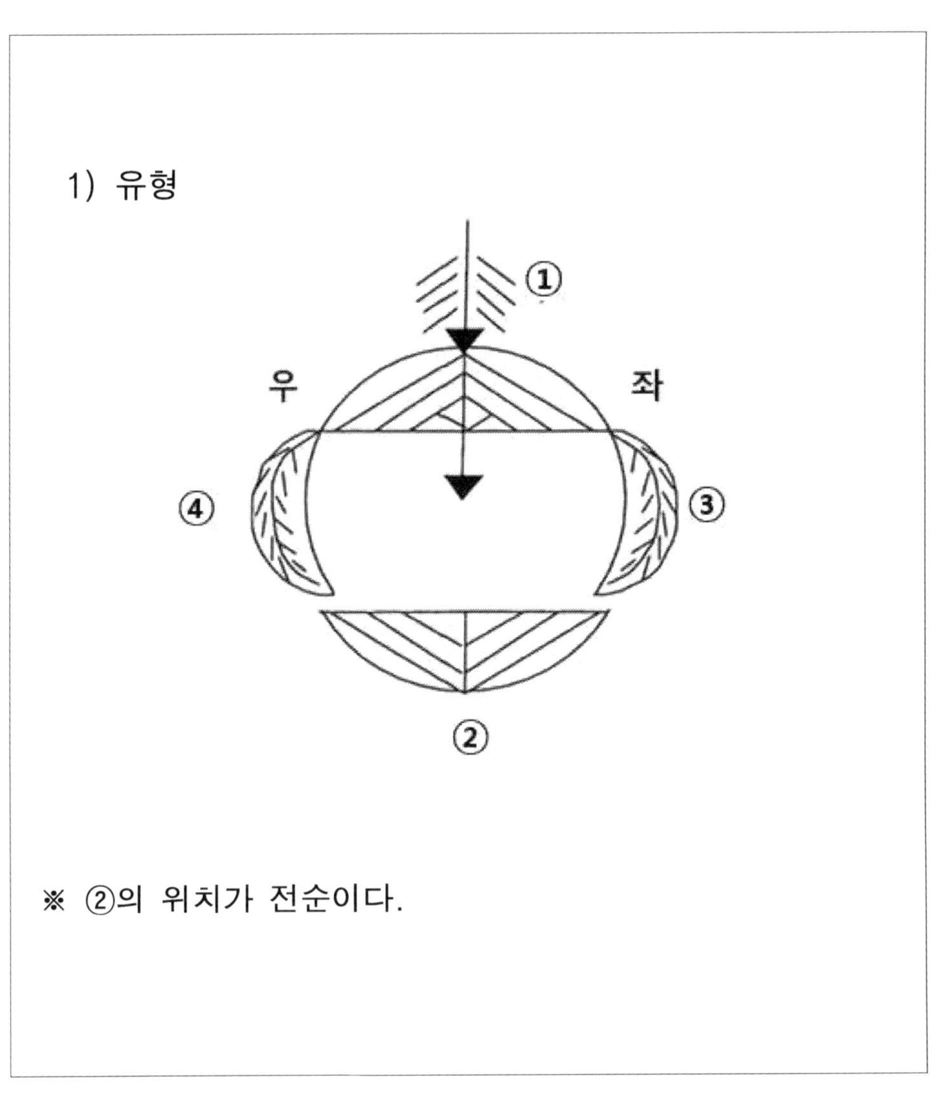

【그림 110】 전순의 형성 질서 체계

79. 요사(曜砂), 요성(曜星)- 청룡선익(靑龍蟬翼)과 백호선익(白虎蟬翼)의 외측에 붙어있는 가지로 석질(石質)이 노출된 것도 있다. 선익 각도를 변역시키고 보호하며 혈장에 에너지를 재응축(再凝縮)시킨다.

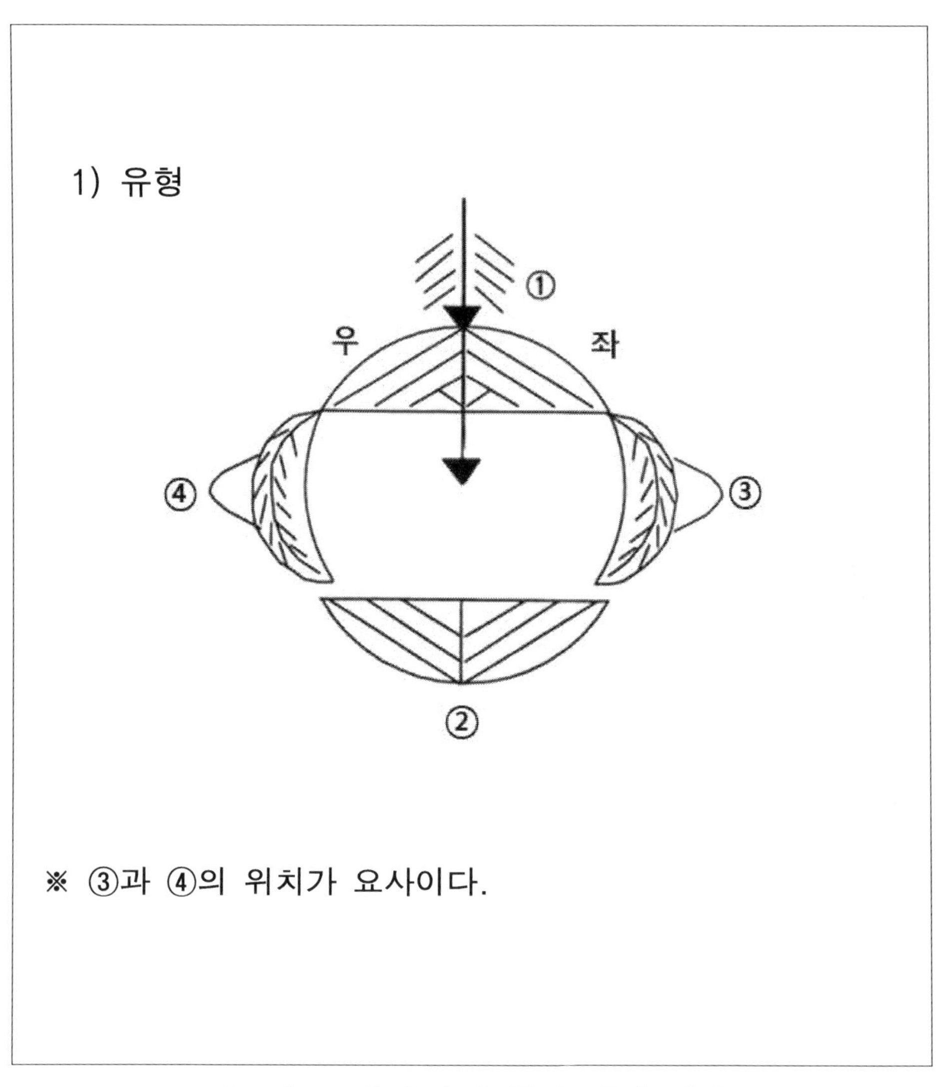

【그림 111】 요사의 형성 질서 체계

80. 관사(官砂), 관성(官星)- 전순(前脣)의 외측에 붙어 있는 가지로서 석질이 노출된 것도 있다. 전순을 보호하고 혈심에 에너지를 재응축시킨다.

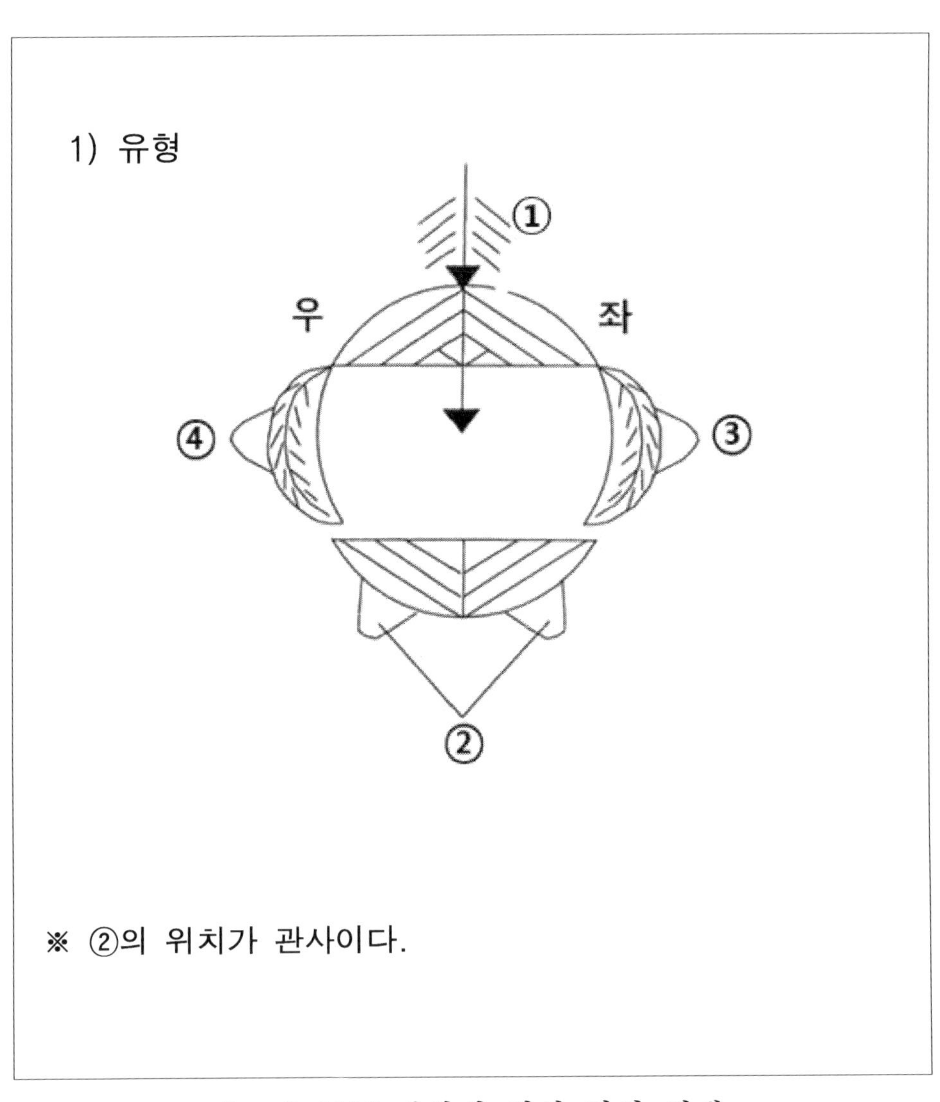

【그림 112】 관사의 형성 질서 체계

81. 귀사(鬼砂), 귀성(鬼星)- 혈장 뒷면에서 중앙 좌(左), 우(右)에 붙어있는 가지로서 혈장을 보호하고 에너지를 공급한다.

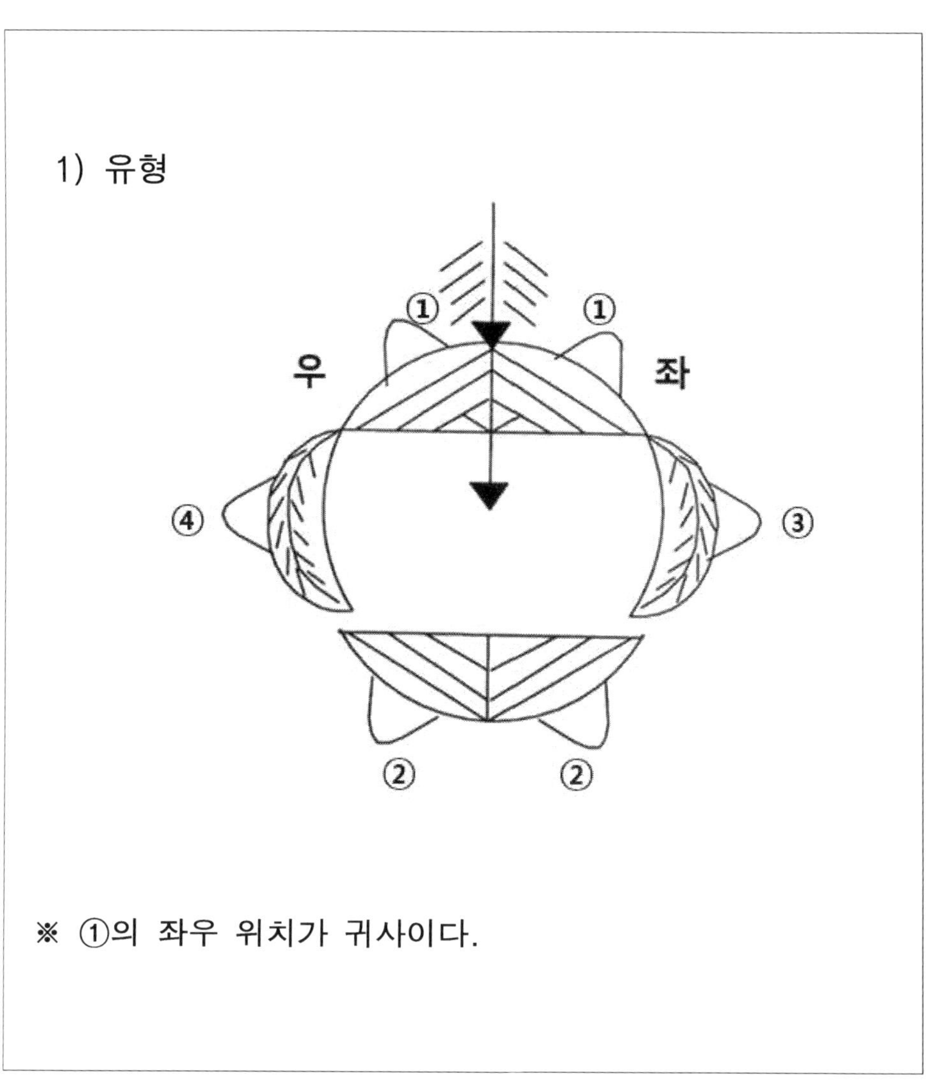

【그림 113】 귀사의 형성 질서 체계

82. 혈장(穴場):당판(堂板)- 입수두뇌(入首頭腦), 청룡선익(靑龍蟬翼), 백호선익(白虎蟬翼)으로 둘러 쌓여 있는 전부를 뜻한다.

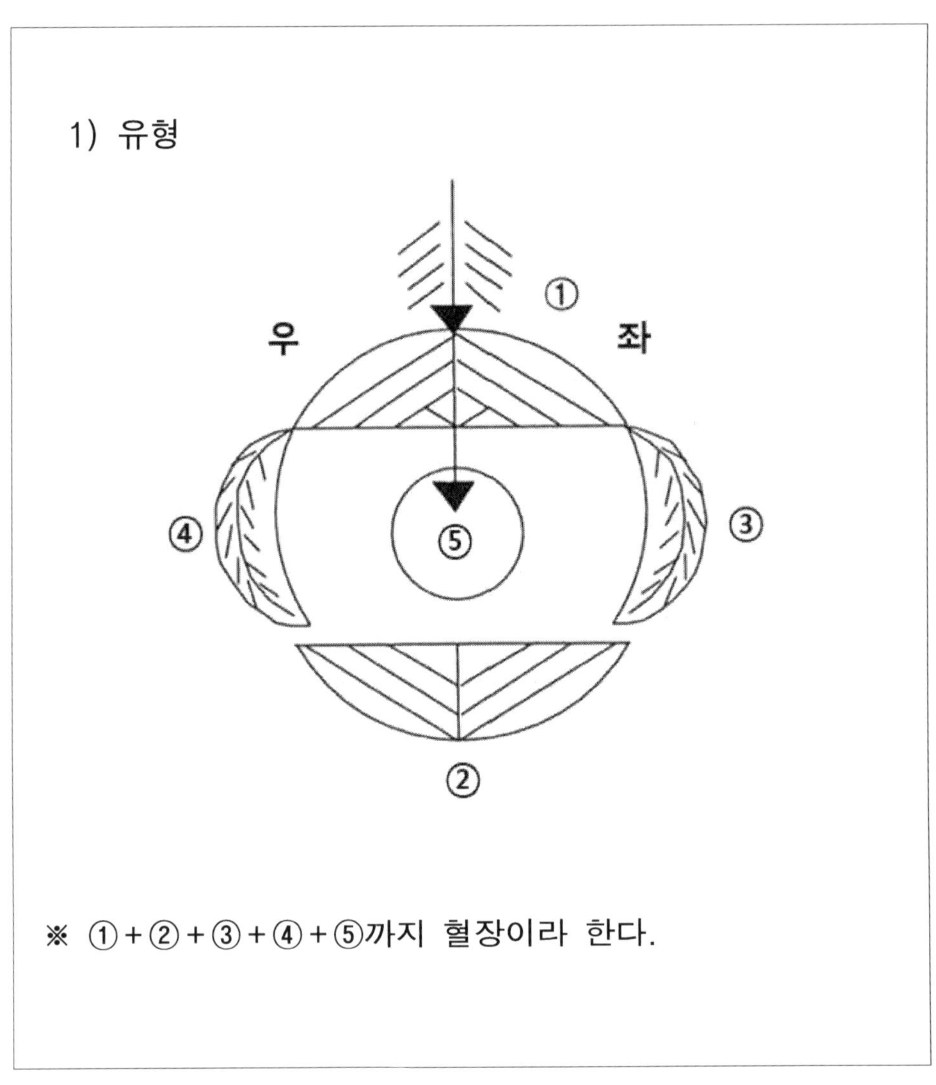

【그림 114】 혈장의 형성 질서 체계

83. 입혈맥(入穴脈)- 입수두뇌(入首頭腦)에서 혈심(穴心)으로 에너지가 공급되는 통로(通路)를 말한다.

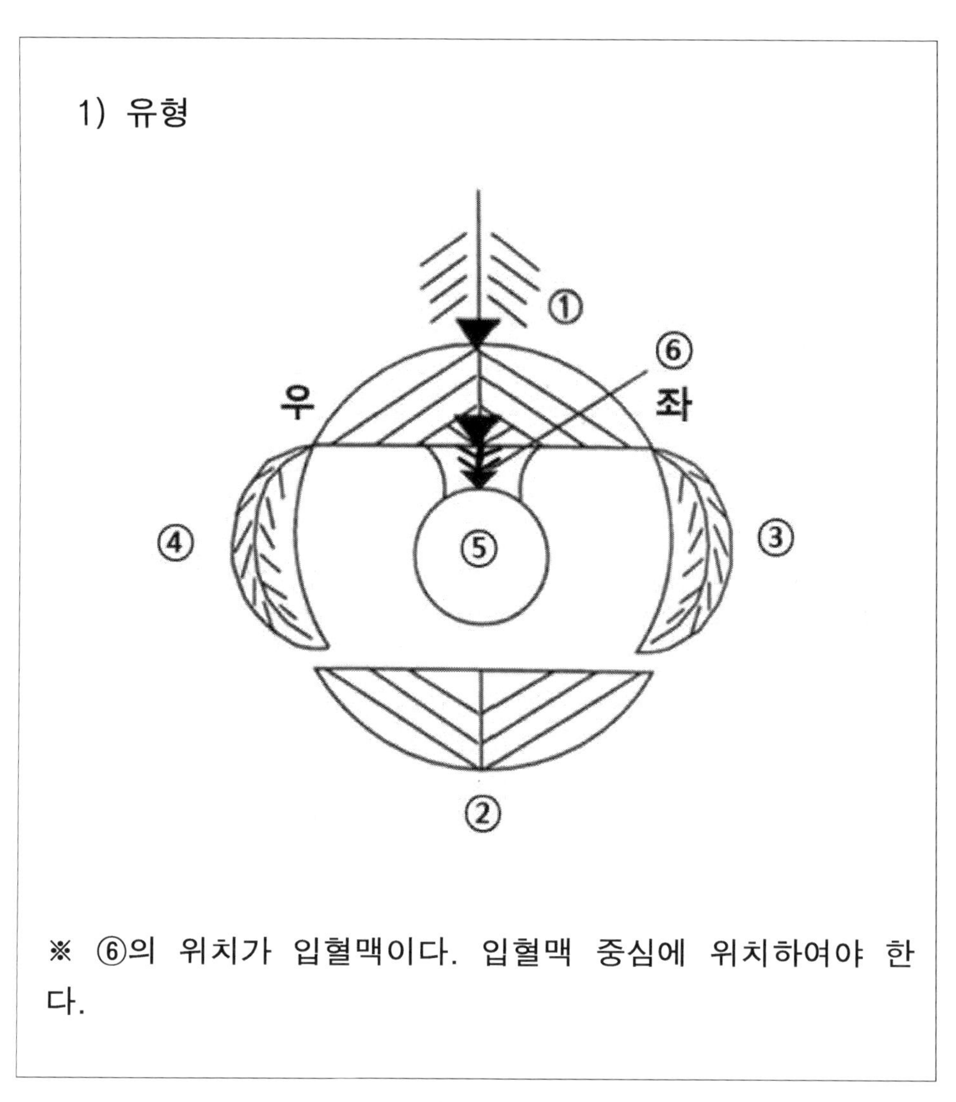

【그림 115】 입혈맥의 형성 질서 체계

84. 혈심(穴心)- 혈장(穴場)의 중심이며 시신(尸身)을 안장(安葬)하는 곳이다.

1) 유형

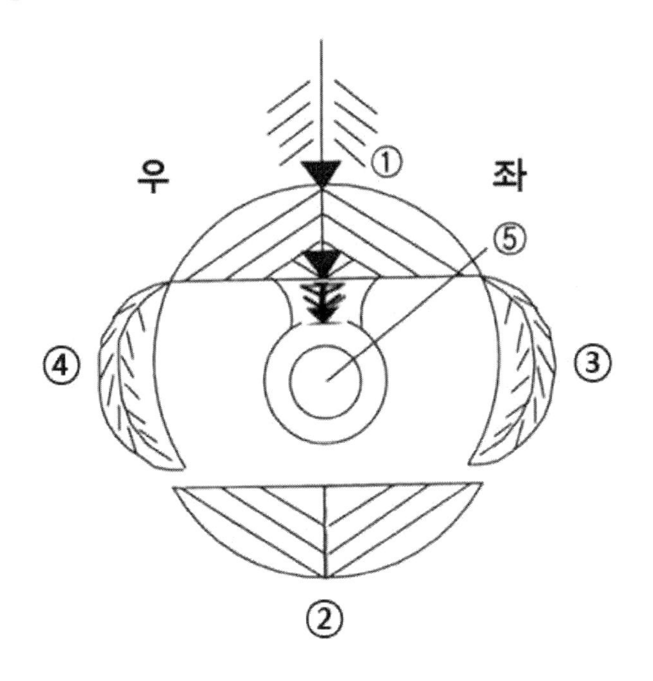

※ ⑤의 위치가 혈심이다. 혈심은 볼록(돌출)해야 선. 미. 대. 강 하다.

【그림 116】 혈심의 형성 질서 체계

85. 광중(壙中)- 시신을 안장(安葬)하기 위하여 파 놓은 구덩이를 말한다.

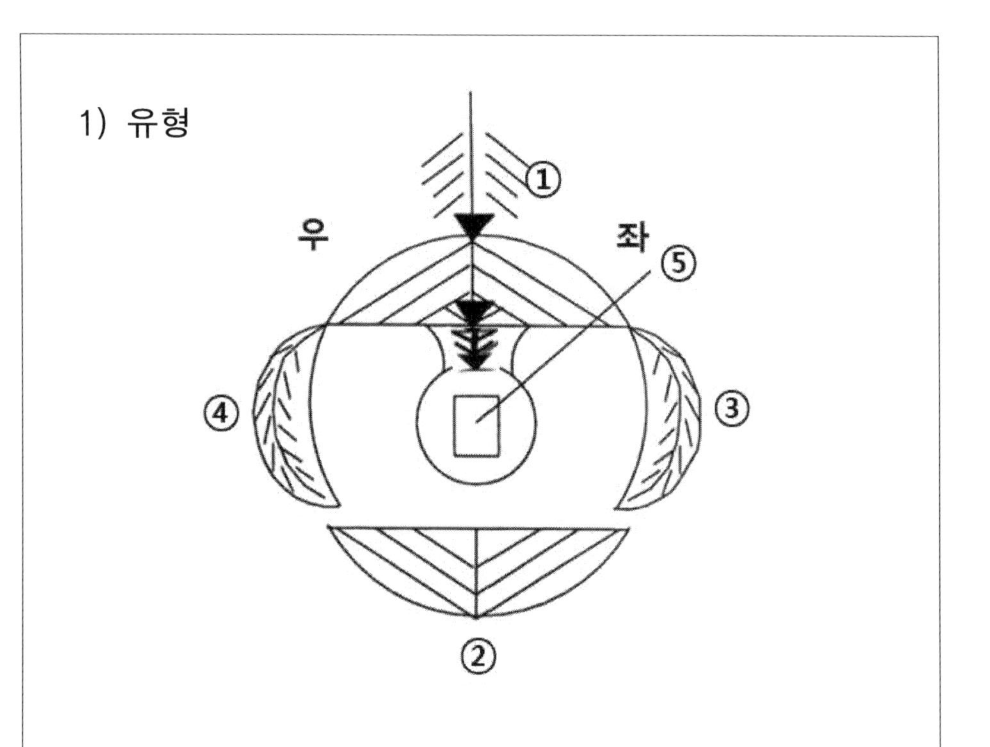

※ ⑤의 위치가 광중이다. 광중 내는 비석비토(非石非土)로서 황토색이다.

- 광중의 깊이는 지형지세의 특성에 따라 일정하지 않다.
- 광중 내는 내룡맥, 입혈맥 주 에너지 특성이 강하고 에너지체를 소중히 관리한다.(필요한 부분만 수(手)작업을 원칙으로 철저히 이행한다.

【그림 117】 광중의 형성 질서 체계

86. 외광(外壙)- 광중을 파 내려갈 때 광중속 전체를 말한다.

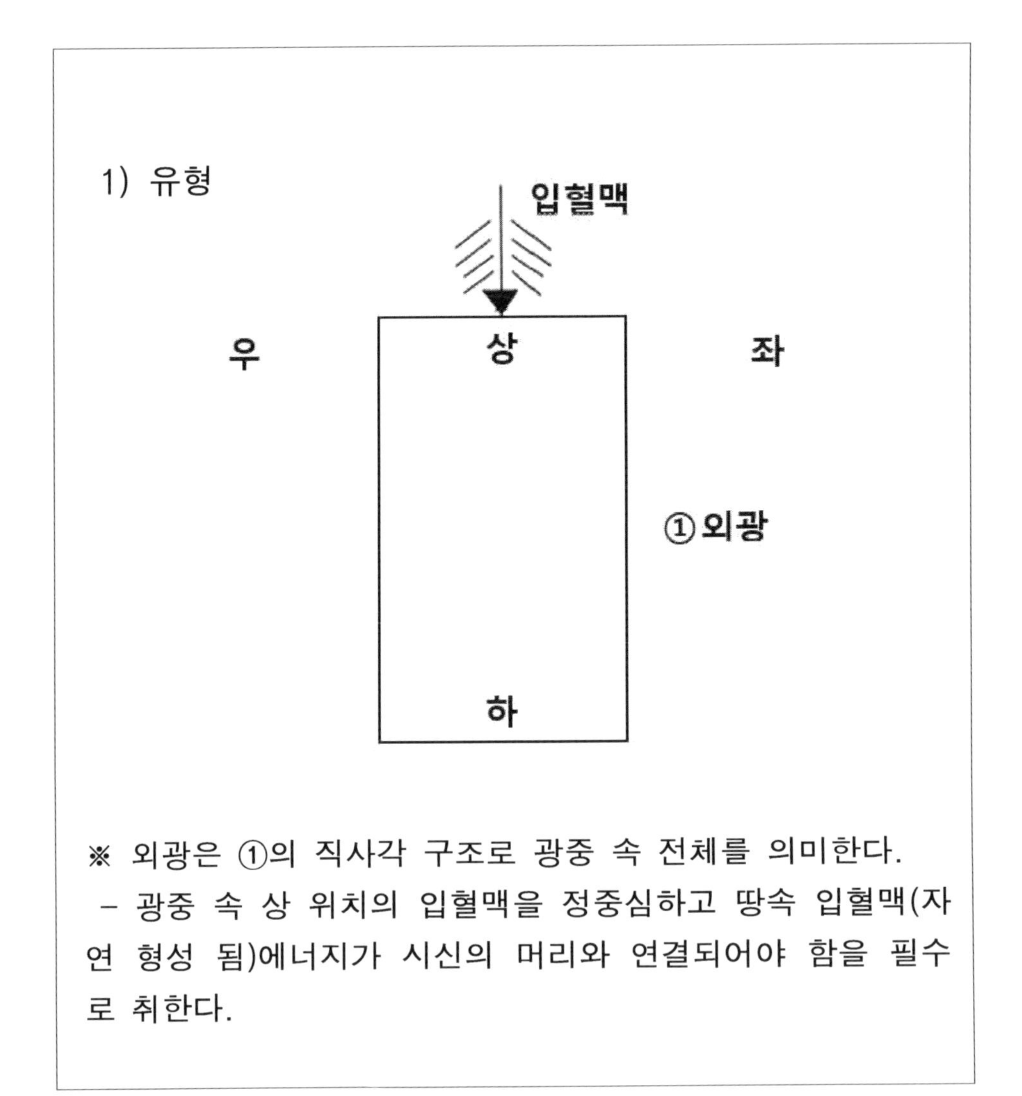

【그림 118】 외광의 형성질서 체계

87. 내광(內壙)- 광중속(외광)에서 다시 시신의 탈관 원칙으로 안장하므로 그 시신만 염을 한 체로 하관하며 외광에서 다시 내광으로 파 놓은 위치에 최종 안장하는 곳이다.

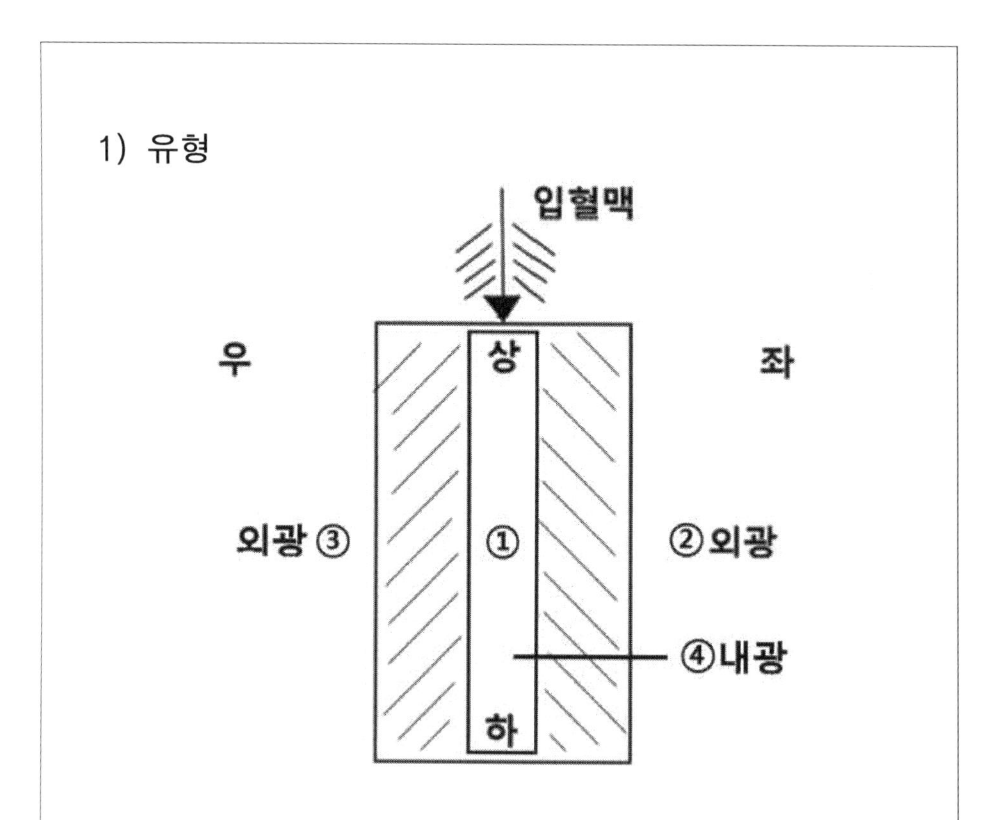

※ ①의 위치가 내광이고 시신을 탈관하여 염한체로 하관 최종 안장하는 곳이다.
- 운구 중에는 입관한 체로 이동하고 광중(외광, 내광)에서 하관 직전 탈관(관을 분리 제거)하여 외광을 ②와 ③을 딛고 내광으로 안장한다.

【그림 119】 내광의 형성 질서 체계

88. 좌(坐)- 시신을 안장한 머리 쪽을 말한다. 내룡맥 입수두뇌 중심을 먼저 좌(坐)로 하고 전순 중심을 향(向)으로 정한다.

1) 유형

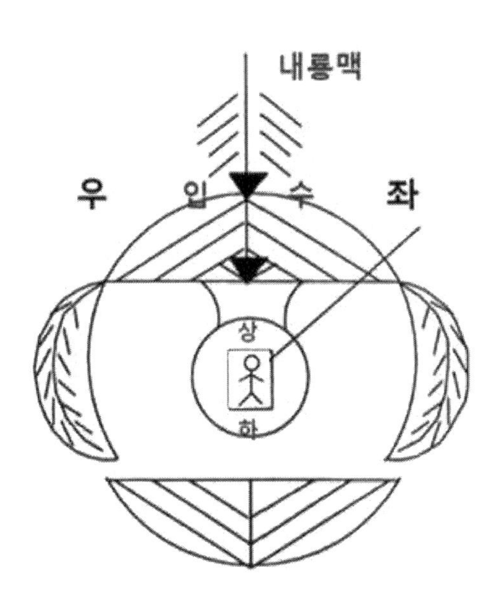

※ 좌는 입수 중심 먼저하고 그다음 전순 중심에 향으로 한다. 좌는 지형지세 우선하고 그다음 수세 흐름을 득수하게 한다.

【그림 120】 좌의 형성 질서 체계

89. 향(向)- 시신을 안장한 발 쪽을 말한다.

1) 유형

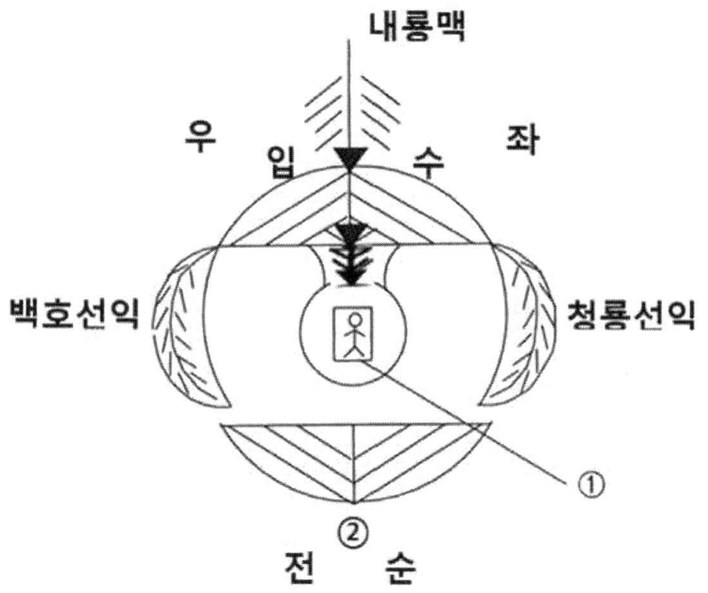

내룡맥
우
입
수
좌
백호선익
청룡선익
①
②
전
순

※ 향은 발이 ①방향으로 한다(내광).
- 향은 전순 ②방향으로 한다.(지형지세 원형대로 설정)
- 향은 내광 발 중심과 지형원형 돌출 부위 쪽과 일치한다.

【그림 121】 향의 형성 질서 체계

90. 좌향(坐向)- 좌(坐)와 향(向)을 합쳐서 일컫는 뜻이다.

1) 유형

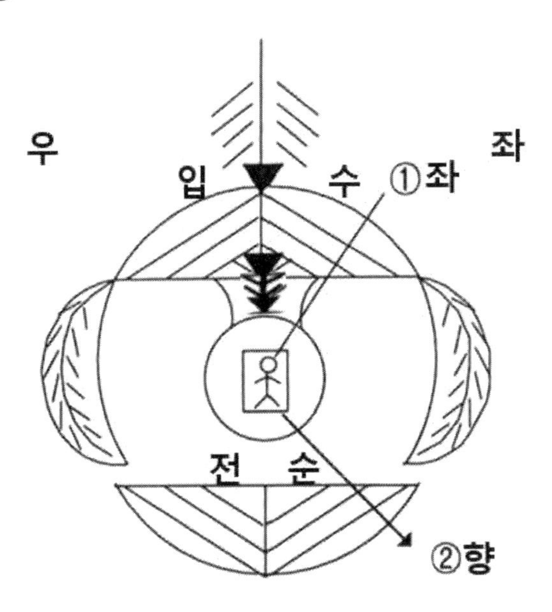

※ 좌향의 설정은 지형지세의 우선원칙이고 먼저 좌를 구별하며 그다음 향을 구별하되 근접 수계 흐름을 반드시 파악하고 결정한다.

【그림 122】 좌향의 형성 질서 체계

91. 혈세(穴勢):혈장세(穴場勢)- 혈장(穴場)의 역량, 혈장의 대소(大小), 강약(强弱), 선악(善惡), 미추(美醜) 등으로 분석한다.

92. 혈토(穴土)- 혈심의 토질이고 합성물질 에너지체이다.

93. 비석비토(非石非土)- 돌도 아니고 흙도 아닌 혈심(穴心)의 토질(土質)을 뜻한다. 황토성 물질이다.

94. 명당(明堂)- 보편적으로 좋은 집터와 좋은 묘(墓) 터를 일컬을 때 쓰이나 학문적으로 분석하면 절(拜)을 하는 곳이다.

95. 혈장명당(穴場明堂)- 묘(墓)의 바로 앞 절하는 평평한 곳이다.

96. 내명당(內明堂)- 혈장 앞의 내청룡과 내백호 안에 있는 평평한 곳이다.

97. 외명당(外明堂)- 내명당 밖의 명당을 말한다.

98. 풍수지리- 산. 화. 풍. 수. 방위를 의미한다.

99. 산. 화. 풍. 수. 방위- 산은 지기 흐름 크기 변화이고, 화는 열량이고, 풍은 계절풍 작용이고, 수(水)는 물의 흐름이고, 방위는 에너지체 흐름 선이다.

100. 동조. 간섭- 동조는 보호이고 간섭은 형, 충, 파, 해, 살이다.

101. 생멸 법칙- 생하고 멸하는 자연의 질서와 체계이다.

102. 변역 연기- 모여서 나가는 현상 질서 법칙이고 이에 따른 연기 에너지이다.

103. 정변위- 합성 각도의 생기, 생성, 생주 법칙에 변위한다.

104. 부정변위- 합성 각도의 음양 법칙에 맞지 않아서 불배합하여 변위한다.

105. 무기변위- 합성 각도에 이탈하고 불배합하여 변위한다.

106. 산맥 질서- 산의 맥은 생과 멸의 법칙과 질서와 체계가 존재한다.

107. 풍맥 질서- 풍의 이동도 생과 멸의 법칙과 질서와 체계가 존재한다.

108. 수맥 질서- 수의 이동도 생과 멸의 법칙과 질서와 체계가 존재한다.

109. 혈장 질서- 주산, 안산, 청룡, 백호의 보호와 동조, 응기, 응축하는 법칙과 질서와 체계가 존재한다.

110. 국세 질서- 보호사의 대, 중, 소취국에 따라 에너지체 질서와 체계가 존재한다.

111. 역학적(力學的) 분석- 자연현상은 힘의 논리와 체계로 작용한다는 뜻이다.

112. 역학적(易學的) 분석- 자연현상의 분석과 특성을 변화적 연기로 작용한다는 뜻이다.

113. 양기 원리의 질서- 양기의 천기지 에너지가 합성되어 지표로 융기되어 그 지형 지세로 변화되어 진 표면적 지표에 대한 원리이다.